L'art de
l'essentiel

DOMINIQUE LOREAU

L'art de l'essentiel

Jeter l'inutile et le superflu pour faire
de l'espace en soi

Bien-être

SOMMAIRE

« Tu es riche ?
— J'ai tout. Je ne possède même plus. »

Malcolm DE CHAZAL

INTRODUCTION

« *Les humeurs humaines et les réactions à la rencontre avec le Rien varient considérablement de personne à personne, et d'une culture à l'autre.*
Les taoïstes chinois ont trouvé le Grand Vide tranquillisant, paisible, et même joyeux. Pour les bouddhistes de l'Inde, l'idée du Rien évoquait une atmosphère de compassion universelle prise dans les outils d'une existence qui est ultimement sans sol.
Dans la culture japonaise, l'idée de Rien permet des modes exquis d'un sentiment esthétique se retrouvant dans la peinture, l'architecture, et même dans les rituels du quotidien.
Mais l'Occidental, lui, est embourbé de possessions jusqu'au cou, d'objets et du business de les entretenir, faisant front à l'anxiété de la rencontre possible avec le Rien. »
William BARRET (1913-1992), *Propos sur le Rien.*

Un beau matin, nous nous réveillons et réalisons que nous avons trop : fouillis, ménage à faire, courrier en retard, lectures à terminer, engagements extérieurs, stress, fatigue, anxiété… Nous avons bien tenté mille remèdes (lectures et conférences portant sur le stress ou le bien-être, thalassothérapie, parfums d'ambiance, huiles de bain relaxantes, vacances au soleil…), mais rien n'y fait.

Fatigué ? Stressé ? Sans énergie ? Le conseil est toujours le même : « Essayez, achetez, ajoutez, utilisez… »

Mais pourquoi pas, tout simplement : « Laissez tomber, abandonnez, cessez, arrêtez, refusez, éliminez, lâchez prise, faites le vide autour de vous et en vous » ?

La cause de notre fatigue, de notre lourdeur, de notre manque d'entrain est bien souvent ce trop-plein de tout qui nous vide, nous use, nous entraîne dans le tourbillon incessant de toujours plus se fatiguer à essayer de retrouver son énergie. Tous ces « remèdes » ne font que nous enseigner comment gérer le trop au lieu de tout simplement… l'éliminer !

Voilà d'où vient notre malaise : une surcharge en tout, un excès qui, si nous n'agissons pas sur lui, agira, lui, sur nous, au sens le plus concret et le plus complet, lentement mais sûrement.

Attaquez-vous directement au cœur du problème. Débarrassez-vous de tout ce qui n'est pas essentiel ou n'a plus d'utilité ni de sens à vos yeux. Sans tout ce trop, vous serez plus vous-même.

Jeter semble de premier abord facile, mais peu de personnes en sont capables. C'est que, pour désencombrer sa vie, il faut beaucoup de connaissance de soi ! Savoir qui l'on est, ce que l'on aime vraiment, ce dont on a besoin et ce dont on peut se passer. Qu'il s'agisse de la vie matérielle, du mental ou de sa spiritualité, il faut savoir ce qui nous rend véritablement heureux et épanoui, ce qui nous permet de progresser, ce qui est en notre pouvoir pour protéger l'environnement et nous protéger nous-mêmes contre l'artifice.

Jeter agit non seulement comme une véritable thérapie (et l'une des plus efficaces), mais c'est aussi une philosophie et un art. Et puis vous retrouverez une nouvelle légèreté, une nouvelle qualité de vie et plus d'espace dans tous les domaines.

Première partie

ELIXIR VITAE DU DÉSENCOMBREMENT

1

Au quotidien

UN SOULAGEMENT EXTRAORDINAIRE

Plus de temps

> *« Avec peu on peut vivre le présent à l'infini. »*
> Ma maxime préférée

Qu'est-ce que la vie, sinon les heures, les jours, les années que nous avons ? Posséder peu fait gagner un temps précieux : avoir moins de choses, c'est moins d'entretien et de tâches ménagères (épousseter, laver, cirer, polir, déplacer pour le ménage), moins de temps perdu à chercher, fouiller dans ses placards, ses sacs, ses greniers, ses dossiers pour « trouver » (« trouver » implique qu'il faut chercher, et chercher sous-entend quelque chose qui est introuvable). Avoir davantage de temps signifie que le rythme de sa vie peut ralentir, que l'on peut vivre tranquillement, c'est-à-dire prendre son temps, rester centré, ne pas être constamment pressé, surmené, ne pas mener une vie qui ne se résume qu'à une succession d'activités inscrites sur un agenda.

Que nous soyons chez nous ou à l'extérieur, nous sommes souvent en train de faire quelque chose en rapport avec les objets. Avez-vous déjà fait le calcul du temps consacré à penser, parler, désirer, acheter, transporter, entretenir, assurer, débarrasser les choses ? Se débarrasser du superflu, ramener ses possessions à ce dont nous avons réellement besoin permet de mener une vie riche de sens, de plaisirs et de moments sereins : passer du temps avec les siens, prendre le temps de faire chaque chose à fond, que ce soit manger, se promener, aller au cinéma, lire, prendre son bain, vivre à son propre rythme… C'est ne pas passer à côté de la vie. C'est ne pas perdre sa vie pour ce qui… ne vit pas !

Dans « la maison du vide », celle qui ne contient que très peu, votre vie sera plus intense.

Moins d'ennuis

« C'est quand je possède le moins que j'ai le moins de soucis et Dieu sait que je suis plus affligée lorsqu'il y a un excès de quelque chose que lorsqu'il y a un manque. »
Sainte Thérèse D'AVILA

Ce sont surtout nos possessions qui nous attirent des ennuis. Se délester des possessions superflues, c'est aussi se délester des problèmes. La cafetière à faire réparer, l'imprimante qui s'est bloquée, les dettes ou emprunts faits pour payer des achats inconsidérés et inutiles, les comptes de ses dépenses à tenir chaque mois, les agios, les assurances, les divorces coûteux (souvent causés par des problèmes matériels), les garages ou entrepôts à louer, les réparations, entretiens, démarches à faire pour s'occuper de ces « choses » : n'êtes-vous pas fatigué de passer votre vie à régler des problèmes causés par les possessions, d'avoir constamment des soucis que, sans elles, vous éviteriez ?

À bien y réfléchir, nos possessions nous coûtent bien plus cher que le prix payé à l'achat, non seulement financièrement mais émotionnellement, psychologiquement et mentalement. Et dire que sans elles, nous pourrions avoir tant d'argent sur notre compte en banque, le temps et le loisir d'aller faire des pique-niques dans les parcs, rêvasser au soleil ou sur son balcon...

Dès la minute où vous déciderez de ne plus posséder que le strict nécessaire, de vous désencombrer matériellement et mentalement, toutes sortes d'ennuis s'envoleront.

Plus d'énergie

> « Ne gaspille pas ton énergie ! Mets-la en valeur ! »
> Wilhelm Oswald (1853-1932)

L'encombrement est à la fois la source et la conséquence de notre léthargie.

Nous sommes, avant tout, de l'énergie. En mettant de l'énergie dans ce qui relève du domaine matériel, nous nous limitons. Tenter de considérer la vie dans son ensemble et non partiellement peut complètement transformer une personne dans ses attitudes, ses émotions, son intellect, son psychisme, sa spiritualité et même son physique. Si nous voulons changer le monde autour de nous, nous avons seulement besoin de changer la qualité de nos propres vibrations. Au fur et à mesure que ces vibrations changeront, la qualité de ce qui est autour de nous changera aussi. Les circonstances, les situations, les événements et les personnes que nous rencontrons dans notre vie sont le reflet de l'état de conscience dans lequel nous sommes. Le monde est un miroir. Si nous sommes ancrés dans notre « grand moi », le monde entier sera à notre disposition. Nous serons alors à même de réaliser de plus en plus que nous, et nous seuls, sommes responsables de ce qui nous arrive et que tout autour de nous exprime cette énergie.

Le désencombrement permet de décupler l'énergie qui est déjà en nous. Le fait de ne pas s'attacher, s'accrocher, donne de l'énergie, c'est-à-dire de la vie. C'est la seule chose dont nous puissions véritablement disposer. Mais pour cela, il faut couper court à tout ce qui nous en prive ou nous en fait perdre. Il faut jeter tout le superflu.

Plus d'organisation

> « Je veux me défaire de tout ce qui ne sert à rien.
> J'ai la hantise de l'inutile. [...]
> J'appelle fouillis tout ce qui dérange
> ma santé mentale [...] : les journaux du matin
> qui ne sont pas à la poubelle
> avant midi, un chandail qui traîne,
> une petite cuillère mélangée aux couteaux,
> un livre à l'envers dans ma bibliothèque.
> Chaque chose à sa place et moi à la mienne,
> que rien ni personne ne saura déranger. »
>
> Pascal SEVRAN, Des lendemains de fêtes

L'absence de choses à ranger ou à chercher constamment, de recoins à contourner pour avoir accès à un placard, le calme, l'espace, l'ordre, le silence « visuel » d'une pièce, voilà le véritable confort, garant de paix et de détente, que le côté pratique de la vie devrait nous apporter.

Le désordre empêche de goûter aux véritables plaisirs, nous enfonce, nous affecte si nous le laissons nous envahir trop longtemps. Il nous rend léthargiques et fatigués, nous emprisonne dans le passé (regrets, pensées, culpabilité de tout laisser partir à la dérive...), nous empêchant de nous créer un avenir meilleur. Et il ne fait qu'augmenter avec le temps.

Débarrassez-vous de toutes ces choses qui ne signifient plus rien pour vous : vous vous sentirez dix fois plus léger au physique comme au moral. Plus le nombre d'objets à ranger sera réduit, moins les problèmes de désordre et d'inconfort se poseront. La véritable cause du désordre est l'excès de possessions. Une bonne organisation apporte le plaisir de la précision, alors qu'un objet mal rangé en entraîne un deuxième, puis un troisième et ainsi de suite. Cela commence avec un détail qui, petit à petit, en entraîne un autre, jusqu'à ce que le fouillis prenne des proportions ingérables, bloquant notre énergie et entraînant une paralysie dans l'acte de vivre. Quand le fouillis est trop dense, trop compact, on ressent de l'oppression, de l'inconfort. Ce qui fait la valeur de quelque chose, c'est le fait de pouvoir s'en servir, d'y accéder instantanément. Cela offre l'immense avantage de ne se laisser dépasser ni par les choses ni par les événements. En revanche, le désordre déprime. C'est un véritable cercle vicieux : dès qu'une personne est déprimée, son désordre empire. Elle ne peut alors plus rien faire, remet tout au lendemain et le fouillis se fait de plus en plus dense. Supprimer tout ce qui est superflu est peut-être la première étape vers la guérison.

Plus de raffinement

> *« Les pièces très meublées ont très peu en elles.*
> *Les simples proportions d'une pièce agissent sur notre sensibilité*
> *bien plus que ce qui est déclaré*
> *par notre conscience actuelle. »*
> Robert HENRI,
> célèbre architecte d'intérieur américain (interview)

Le fouillis d'un appartement bohème a certainement du charme, mais seulement chez les autres ! Vivre avec très peu dans le raffinement est non seulement possible mais indispensable si l'on veut continuer à aller de l'avant et ne pas se laisser ensevelir par le surplus de ses possessions. Dans notre civilisation occidentale, le raffinement d'une pièce est jugé par ce qui y est placé : meubles, œuvres d'art, objets... Mais pour embellir son intérieur, retirer tout ce qui est « déco » et ne garder que l'indispensable au confort et aux activités du quotidien produit un effet spectaculaire. Une maison n'est pas un musée et les objets du quotidien n'ont pas besoin d'être, pour chacun d'eux, une pièce rare. Le trop enlaidit tout, même ce qui est beau. Qui voudrait vivre au château de Versailles ? Un des summums de l'esthétique en matière d'architecture est la pièce où se pratique la cérémonie du thé, très inspirée du zen, au Japon. Ses pratiquants la nomment « la maison de la fantaisie ». Cette pièce (parfois un petit pavillon au cœur d'un jardin zen) n'est bâtie que pour servir d'asile aux aspirations poétiques. En étant dénuée d'ornementation, elle invite non seulement à agir librement, mais à y placer uniquement de quoi satisfaire un caprice esthétique passager, quelque chose d'inachevé que les jeux de l'imagination achèvent à leur gré. L'apparente insouciance qui y règne a pour but de nous rappeler que l'amour de la vie réside exclusivement dans l'esprit qui, en s'incarnant dans les choses simples, les embellit de la subtile lumière de son raffinement.

Plus de luxe

> *« La simplicité de la vie, même*
> *avec le plus grand dépouillement de tout,*
> *n'est pas de la misère, mais la fondation*
> *même du raffinement. »*
> William MORRIS, artiste, designer
> et écrivain américain (1834-1896)

Vivre sans le logis, la nourriture, les vêtements, les soins médicaux adéquats n'est pas vivre simplement. Ce n'est pas la simplicité choisie. C'est la pauvreté subie. Vivre simplement ne veut pas dire rejeter le confort matériel, mais vivre dans plus de légèreté, de profondeur, et de… luxe ! Il est possible de bien vivre, même avec très peu d'argent, dans un des luxes les plus grands qui soient : le luxe « zen ». Le luxe, un concept épicurien, consiste à ne gâcher aucun instant par des choix automatiques, ne pas se laisser déborder par ce qui nous entoure (les personnes qui vieillissent bien ont souvent fonctionné ainsi : elles sont en accord avec elles-mêmes). Le luxe, ce ne sont pas seulement de beaux intérieurs spacieux aux murs blancs et au design moderne, même si la beauté est essentielle à notre vie. Ce vrai luxe se situe loin des illusions qu'on nous impose : prendre son temps, ne pas gaspiller, ne jamais transiger avec la qualité, se considérer unique et se respecter. Mais surtout, c'est pouvoir refuser de faire quelque chose parce que cela va nous stresser ou refuser de posséder tout ce qui nous encombre. C'est une chambre fraîche, calme et reposante après une journée de travail, un appartement dépouillé dans lequel il n'y a rien à faire. Le luxe, c'est éliminer ces centaines de petits choix qu'exige de nous le quotidien sans pour autant nous enfermer dans un système rigide et morne. C'est ne posséder que le strict nécessaire pour accéder à une certaine liberté d'esprit et se créer un imaginaire autour de choses plus enrichissantes. Le luxe, rappelons-le, doit être relié au rêve et à l'imagination : il est fait pour nourrir l'âme, tout comme les vrais objets, les histoires vraies, les gens vrais.

Pourquoi aime-t-on tant séjourner à l'hôtel, manger au restaurant, se promener sur de grandes plages désertes… ? Parce qu'il n'y a rien à faire, aucune préoccupation, aucun souci de « garder un œil » sur ses biens (sauf peut-être ses valises !).

Nous pouvons en faire autant chez nous : simplifier jusqu'à ce qu'il n'y ait plus rien à retirer, excepté ce qui apporte le confort au corps et à l'esprit. Si vous voulez donner l'impression qu'un objet forme le centre d'une pièce, donnez-lui de l'espace.

Le vrai luxe consiste à avoir les choses dont on a vraiment besoin, que l'on adore, avec lesquelles rien n'interfère, et que rien ne dévalorise.

Plus de confort

> *« Le voleur a tout emporté*
> *Sauf la lune*
> *Qui était à ma fenêtre. »*
> Haïku, RYÔKAN, ermite, poète et calligraphe (1758-1831)

Un appartement chaleureux et un appartement encombré ne sont pas la même chose. Pourquoi ne pas, comme les Anglo-Saxons connus pour leur sens du confort, réduire le mobilier de votre salon à un ou deux bons gros canapés moelleux (avec dans un coin un set de tables gigognes pour offrir le thé à vos invités), une table et ses chaises pour manger et travailler et, si le dénuement des intérieurs blancs et modernes vous effraie, une moquette aux bons gros motifs sombres que l'on retrouve dans les pubs anglais ou les halls de certains hôtels et qui « réchauffent » instantanément l'atmosphère de tout intérieur ? Quelques journaux, une bonne tasse de thé chaud, un écran plasma... quoi de plus pour « savourer » le fait de ne plus être encombré par tout un fatras de tables basses, consoles, bibelots, paniers à magazines..., bref, de tout ce fatras d'inutilités qui encombre l'espace et l'esprit ?

Bonheur extrême de la simplicité du choix

L'abondance décourage le choix. Vêtements, objets de cuisine, linge de maison..., avec moins de tout vous verrez plus clairement où chaque objet se trouve et vos choix seront plus aisés. On dit par exemple qu'il est bien plus agréable de se maquiller si l'on possède très peu de produits.

Nos grands-parents n'avaient que des choix limités pour se nourrir, se vêtir, se distraire, lire. Et tout paraissait plus facile. De nos jours, nous avons plus d'argent, un nombre d'opportunités immense, et, avec une simple carte de crédit, accès à tout partout et à la minute même où nous le désirons. Mais contrairement à nos attentes, nous ne sommes pas plus heureux. Avec tous ces choix, toutes ces options, nous avons de plus en plus de mal à prendre des décisions, trancher, garder nos repères.

Lorsque nous ne pouvons plus choisir, nous encombrons. Vêtements, voitures, ordinateurs, outils, meubles, petits articles… presque tout se multiplie et complique encore plus nos vies. Si vous ne possédiez dans votre vaisselier ou votre penderie que les pièces dont vous avez réellement besoin, les choix seraient tellement simples ! Commencez par ce petit secret : lorsque vous avez choisi, dans un magazine, ce qui vous intéresse de lire, d'acheter, de cuisiner… arrachez la page qui vous intéresse et jetez le reste au panier. Puis appliquez cette technique à d'autres domaines de votre vie. Vos décisions se feront plus franches et plus rapides, vos choix plus restreints.

Plus de valeur à chacune de nos possessions

> *« Dans l'art, il y a des millions de choses, de mots,*
> *de gestes, de tout en moins.*
> *Mais chaque mot et chaque geste et chaque chose*
> *compte à sa pleine valeur.*
> *Lorsque nous avons atteint un sens de la valeur*
> *relative des choses,*
> *nous avons besoin de moins. »*
> Robert HENRI

Séjour en captivité, dans le désert, dans des pays très « pauvres », perte absolue de toutes ses possessions dans un incendie, une inondation, un tremblement de terre… ceux qui ont connu de telles expériences sont surpris de constater, ensuite, le peu qu'il leur suffit pour vivre, combien certaines choses sont précieuses et d'autres parfaitement superflues. Avec peu, on apprécie vraiment tout ce que l'on utilise. Au fur et à mesure que les choses s'accumulent, elles perdent de leur valeur, comme si l'utilité en excès produisait l'effet inverse, décroissant en proportion du surplus et nous faisant, en fin de compte, plus de mal que de bien.

De plus, le fait d'avoir trop de choses est ce qui empêche, en premier lieu, de les utiliser !

Le mujo ou l'art de vivre avec très peu

> « *Plus que le christianisme, l'islam ou le judaïsme,*
> *les doctrines de type oriental*
> *sont davantage métaphysiques :*
> *elles s'intéressent à la vie quotidienne, à ce*
> *qui peut être vu, vécu, ressenti et expérimenté.* »
> Alan WATTS, *Éloge de l'insécurité*

Dans la vie, tout évolue. Il n'y a pas un seul instant qui soit identique à un autre. Sitôt qu'on essaie de saisir une vérité et de l'affirmer sous une forme nette, elle ne tarde pas à s'évaporer. C'est alors, conseillent les moines zen, qu'il faut prononcer le mot *mu*.

Mu, mu, mu, mu : rien, rien, rien, rien. Tout est rien. Rien est tout. Ce rien est épanouissant, serein. Ce rien nous permet de tout avoir. Le *mujo* est un concept zen japonais portant sur l'esthétique de la légèreté et de la transparence dans les manières de dire et de faire du quotidien, tout en fluidité et en légèreté. Ce concept suggère que toute certitude se déplace et se volatilise peu à peu et que les seules choses dont nous puissions profiter intensément sont celles qui sont fugitives.

Le mujo, c'est vivre de façon naturelle, sans souci, libre de tout poids excessif, avec sécurité et aise. C'est ne pas « posséder » la richesse, mais en jouir sans faire d'efforts ; ne pas forcément avoir beaucoup d'argent, mais le dépenser avec style et raffinement, utiliser avec goût ce que l'on possède. C'est aussi être passé maître dans l'art d'être « riche », même avec très peu de moyens : se mouvoir avec grâce dans le monde des « non-choses », accorder du respect à ce que l'on a, à ce que l'on fait. Le mujo enseigne aussi que la banalité du quotidien nous démunit du sens de la vie, et que la conformité et la logique paralysent l'esprit.

L'élégance mujo, c'est d'abord avoir la possession de soi, savoir qui l'on est, être en paix avec soi-même. C'est développer ses propres goûts plutôt que se laisser guider par ceux des autres, redécouvrir sa propre imagination et sa propre créativité, ne pas prétendre être autre chose que ce que l'on est. C'est voir les choses de son propre point de vue, vivre en marge d'une société toujours pressée, engluée dans l'excès, la surabondance, la multiplicité des tâches à accomplir, apprécier par exemple la musique, la littérature, une belle journée de printemps. C'est supprimer tous les détails encombrants de sa vie, éviter les habitudes sociales artificielles, les conventions, les tensions, refuser tout ce qui dilue notre énergie et éparpille notre pensée, réduisant notre vie à la trivialité et à la médiocrité. C'est aussi se suffire à soi-même sans dépendre de qui ou quoi que ce soit, tout en sachant que l'on peut vivre avec grâce sans rien attendre en retour.

On peut reconnaître le mujo chez un bonze zen à la façon dont il tient sa tasse de thé ou chasse une mouche.

DE MEILLEURES RELATIONS

Se défaire du passé pour construire une nouvelle relation

Le bagage que nous portons, les souvenirs que nous accumulons et auxquels nous nous attachons, voilà la cause de notre incapacité à saisir ce que le présent a à nous offrir. Rien d'autre. Nombre de personnes seules ne peuvent faire de nouvelles rencontres ou se fixer dans une nouvelle relation parce qu'elles sont incapables de faire table rase du passé. Elles se cloîtrent dans le monde des souvenirs qui contrôlent leur vie, les empêchant d'être libres de leurs mouvements, non seulement dans le monde extérieur, mais aussi de l'intérieur, et de s'ouvrir à de nouvelles opportunités lorsque celles-ci se présentent.

Pour faire place à du nouveau dans le domaine du cœur, il faut aussi nettoyer sa maison, son cœur et sa vie à fond, afin de devenir plus souple, clair et confiant. Une nouvelle relation est une aventure qui ne peut se vivre pleinement que lorsqu'elle n'est pas empesée par les résidus du passé. Pour pouvoir aimer, il faut grandir, mûrir, ne pas rester accroché à ses rêves, savoir donner et prendre, faire de l'espace pour l'autre et ne pas rester absorbé par soi, son passé ou ses possessions.

Ne vous attachez pas aux choses et vous vous attacherez moins aux personnes

> *« Tout pas vers le progrès et l'élévation est un pas de renonciation. La pauvreté de celui qui a renoncé est une véritable richesse comparée aux richesses de ceux qui gardent précieusement leurs biens. On peut être sans le sou et bien plus riche que les plus riches du monde. Cette philosophie a été vécue par les ascètes qui voyageaient de lieu en lieu. Toute joie, tout confort et de bons amis rencontrés sur place, ils en profitaient pour un moment puis les laissaient, afin de ne pas être attachés à jamais. »*
>
> Hazrat Inayat KHAN (1882-1927), grand maître sufi

Plus vous possédez de choses, plus vous devenez vulnérable. Mais plus vous évoluerez spirituellement, moins vous aurez besoin des biens et des personnes. Se détacher matériellement aide à être détaché dans tous les domaines, y compris celui des relations. Si vous vous dites : « Je suis avec cette personne aujourd'hui, c'est merveilleux, mais je ne la possède pas, je ne suis pas son gardien de prison, elle est libre de rester avec moi ou de partir », non seulement vous vous détachez en ce sens que vous redouterez moins de la perdre, mais vous lui donnerez de l'espace : elle restera alors probablement avec vous. Plus l'on s'agrippe aux choses, aux gens, aux événements, moins on les possède. Sachez aussi laisser s'achever une relation quand vous sentez que le moment est venu. Remerciez-la de ce qu'elle vous a apporté, et passez à l'étape suivante. Restez dans le présent et veillez à ce que chaque moment soit frais et nouveau. Ne vous demandez pas non plus que faire plus tard. L'endroit où vous êtes maintenant vous indique toujours la direction à prendre. Essayez et vous verrez.

En refusant de posséder, vous n'éprouverez plus ni avidité, ni convoitise, ni envie, ni avarice, ni jalousie

« Ce qui rassasie l'homme, ce n'est pas la quantité de nourriture. C'est l'absence d'avidité. »
Gurdjieff, *Rencontre avec des hommes remarquables*

Une fois que l'on a décidé que posséder était plus pénible que de ne rien avoir, toutes sortes de sentiments changent. On se surprend alors à ne plus être jaloux de ce que les autres ont ; on ne les envie plus, car on sait que l'on possède une richesse tout autre. On se surprend même à éprouver du détachement et une certaine lassitude devant leur âpreté au gain, leur lutte pour s'approprier un maximum, et, paradoxalement, à savourer le plaisir secret de les laisser prendre, grappiller sans intervenir, en se disant intérieurement que nous, on a déjà tout.

Ces sentiments de cupidité, de jalousie, de convoitise affectent leur caractère lentement, silencieusement mais insidieusement. Pensées cupides et avides réduisent la durée de vie jusqu'à la mort (stress entraînant des ulcères menant eux-mêmes à des cancers). Les expressions « se faire de la bile », « se faire du

mauvais sang » sont profondes de sens et… de conséquences !

De plus, le temps que l'on passe à s'occuper des
choses matérielles est du temps en moins consacré
aux personnes ou aux relations humaines, d'une
manière générale. Le désencombrement peut ainsi
contribuer directement à raffermir les liens qui nous
unissent aux autres.

On doit et peut réapprendre à vivre sans tout ce que
la société de consommation essaie de nous faire acheter. Le trop nous fait passer à côté des grands moments
de la vie, à côté de l'essentiel. Nous pensons que
l'encombrement n'affecte que l'aspect matériel de
notre vie. Mais au contraire, il nous vole une partie de
notre cœur et efface ce qu'il y a de bon, de doux, de
romantique, de décontracté, de naturel en nous. À
toujours vouloir trop, on s'éloigne tellement de ce
qu'il y a de meilleur en soi !

Les possessions et les malheurs du monde

« Je possède très peu de dents, et encore moins de choses. »
Gandhi

Si personne ne cherchait à posséder, y aurait-il
autant de guerres, de vols, de crimes ? Toujours vouloir posséder, même l'amour, déteint sur notre vie.
N'attendons rien du monde, ne cherchons pas à combler nos besoins par des êtres et des choses. La solution à nos problèmes ne se trouve pas à l'extérieur de
nous mais en nous.

Plus d'indépendance et d'autonomie

« Elle éprouvait cette espèce de volupté qu'il y a, quand on détruit en rangeant, à voir le vide prendre la place des objets. »
Henry de Montherlant

Il est possible de rompre avec la vie conventionnelle, le passé, son milieu habituel, sans avoir à entrer dans les ordres ou dans les murs d'un monastère. Mais pour cela, il faut se créer des structures personnelles, devenir plus entier, faire confiance à son propre jugement et à ses capacités quant au chemin à suivre dans sa vie. Il ne faut suivre les usages de son temps que pour mieux affirmer sa liberté intérieure. Le détachement apporte pour cela une assurance incomparable : des changements non pas sur ce qui est visible, mais au plus profond de son être.

2

Dans le mental

UN ESPRIT MOINS ENCOMBRÉ

Jetez pour faire de l'espace en vous

> « Un genre de vie simple est difficile aujourd'hui :
> il y faut beaucoup plus de réflexion et d'esprit inventif
> que n'en ont des hommes même très intelligents.
> Le plus honnête parmi eux dira peut-être encore :
> "Je n'ai pas le temps d'y réfléchir si longtemps.
> Le genre de vie simple est pour moi un but trop noble,
> je veux attendre jusqu'à
> ce que de plus sages que moi l'aient trouvé". »
> Nietzsche, *Le voyageur et son ombre*

Nos espaces sont remplis d'objets qui ne nous nourrissent pas. Les piles, les choses mélangées, écrasées, débordantes, hors d'usage, cassées, abîmées, endommagées, compliquées, déroutantes, frustrantes, embarrassantes, énervantes, incommodes, bruyantes, désagréables, égarées, impayées, taxées envahissent nos esprits, nos bibliothèques, nos étagères, nos meubles de rangement. Nous croulons sous le poids d'un trop-plein à craquer et n'avons plus de place ni autour de nous ni en nous. Tout ce « trop » n'affecte pas seulement nos vies, nos émotions, mais notre mental. « Loin des yeux, loin du cœur ? » Faux. Chaque objet que nous avons acquis et inutilement stocké, encombre notre espace mental. C'est pour cela que nombre de personnes riches ressentent tant de lourdeur : leur esprit est tellement encombré des fantômes de leurs possessions qu'elles n'ont que peu de place pour les choses plus importantes de la vie. Comprendre la notion d'espace mental est très précieux pour qui veut apprendre à vivre plus simplement. Pourquoi garder en soi des problèmes ayant trait aux choses de l'extérieur, pourquoi laisser celles-ci occuper les espaces libres de son mental sans « payer de loyer » ? Pourquoi encombrer son esprit de choses superflues ? La vie est trop courte pour cela. Toute possession matérielle (même si nous avons oublié que nous la possédons), occupe autant de place dans notre subconscient que dans notre environnement. De plus, si nous possédons quelque chose, nous nous sentons obligés de l'utiliser, que nous en ayons besoin ou non. Et si nous ne l'utilisons pas, alors nous nous soucions du fait de nous demander pourquoi nous le possédons. Chassez les choses de votre environnement et vous les chasserez de votre esprit. Faites le vide autour de vous avant de vous laisser entraîner dans un cercle vicieux dont il vous sera de plus en plus difficile de vous sortir. Beaucoup de choses finiront par se dématérialiser. Les possessions nous limitent bien plus que la météo ou le manque d'argent !

Plus on se désencombre, plus on prend conscience de tout ce qui est inutile. D'abord matériellement, puis, petit à petit, dans d'autres domaines : activités, bavardages, relations… Faire le ménage dans sa tête, c'est comme faire le grand ménage de printemps, ou celui avant la nouvelle année au Japon. À chaque fois que vous abandonnez une ancienne attitude ou une habitude, mais aussi à chaque fois que vous jetez quelque chose de votre environnement, il y a plus d'espace en vous. Vous avez plus de place pour bouger et examiner la situation sous un autre angle et alors vous vous sentez plus libre et léger.

Si vous clarifiez votre esprit et laissez tomber les curieuses idées qui s'y sont logées (la plupart du temps, nous n'en sommes même pas conscients), vous serez alors libre d'apprécier toutes les choses magnifiques appartenant au royaume matériel et… immatériel.

L'ordre intérieur

L'absence d'ordre intérieur se manifeste subjectivement à travers une espèce d'angoisse, une peur d'être, un sentiment que la vie n'a pas de sens et que l'existence ne vaut pas la peine d'être vécue. De nos jours, il semble qu'il n'y a rien qui transporte l'humanité, que tout tombe dans le vide. Et beaucoup essaient de combler ce vide en achetant de plus grosses voitures, une maison plus cossue, en cherchant « l'amour », en accumulant des objets de collection ou en sombrant dans la drogue, le jeu ou l'alcool. Bien sûr, l'idée d'ordre intérieur peut sembler austère, peu attrayante ; elle est si loin de la vie, du rire, de la musique, des plaisirs que font miroiter nos sociétés ! Mais à long terme, on ne peut se contenter de ces paillettes et de ces artifices, d'une consommation à outrance et d'une fuite constante en avant ; il faut savoir qu'il existe des façons de vivre différentes, des valeurs autres, plus profondes et plus sérieuses que les plaisirs à quatre sous. Ces valeurs, elles, ne coûtent rien. Elles sont accessibles à chacun d'entre nous, et elles peuvent nous aider à catalyser notre malaise, à trouver de nouveaux repères plus authentiques, à nous assurer un support auquel « s'accrocher » quand les bulles d'un faux bonheur éclatent.

Choisir l'environnement qui nous moule

> *« Est-ce possible, en jouant de toutes les facettes de sa personnalité, de faire éclater les limites étouffantes de son « moi » le plus quotidien ? Liberté de se choisir, dans une société standardisée, d'autres façons d'être au monde : il n'y a pas que le monde extérieur. Un autre loge en nous. On peut se le représenter ; et là se tient notre conscience, à la lisière de deux mondes. »*
> Natsuki IKEZAWA, *La vie immobile*

L'emprise des objets sur notre vie fait de nous des extravertis et nous éloigne de nous-mêmes, même si la société moderne nous incite à penser qu'il est normal d'acquérir et de posséder. Nous disons souvent d'une chose qu'elle est belle parce que nous connaissons sa valeur marchande, qu'elle est en photo dans un magazine ou chez quelqu'un de riche. Cela explique que tant de personnes se meublent de la même manière. Toute leur existence est faite d'objets qu'elles n'ont pas choisis du fond de leur cœur, mais selon les diktats de la société.

Mais s'il est vrai que ce qui nous entoure nous « moule », nous pouvons, à l'inverse, « mouler » nos choix pour qu'ils nous définissent tels que nous le désirons.

Si le zen insiste tant sur l'absence de superflu et sur la propreté immaculée d'un lieu, c'est parce qu'il sait que la pièce dans laquelle une personne s'assied ou vit affecte naturellement son esprit. Plus vite une personne apprend à nettoyer son espace, à en soustraire ce qui n'est plus nécessaire, plus vite son cœur pourra s'ouvrir et faire de la place à la nouveauté. Faire le ménage et le vide autour de soi, c'est non seulement nettoyer sa maison, mais son psychisme. Faites briller vos sols et vous verrez !

UNE VIEILLESSE PLUS DYNAMIQUE

Plus nous vieillissons plus nous accumulons

> « Ne t'occupe pas de tes années
> et elles ne s'occuperont pas de toi ! »
> Vieil adage

L'homme semble programmé pour acquérir « ses » possessions jusqu'au moment où celles-ci vivent d'elles-mêmes en se multipliant. Et imperceptiblement, il se laisse envahir par elles. Au début, les acquérir était une passion, puis cette passion s'est transformée en devoir, et maintenant en prendre soin représente une sorte de fardeau qui détruit sa vie. Les « je veux » deviennent des « je dois ». Et plus il se charge, plus il s'éloigne de ce qu'il est vraiment. Les objets le rendent improductif et sapent l'énergie dont il a besoin pour son développement futur. Cette « désunion » d'avec lui-même engendre son mécontentement ; il reporte alors sa frustration sur son entourage, son conjoint. Sa vie intérieure est subordonnée aux exigences externes et matérielles. Il se perd lui-même, se laissant peu à peu envahir par la nervosité, la dépression ou d'autres malaises physiques : ses possessions le contraignent à transporter en permanence sa propre histoire tout entière avec lui. Il ne peut plus avancer. Il a peur du futur mais ne peut se décider à jeter les résidus du passé, redoutant un sentiment déplaisant comme le fait qu'un objet disparaîtra à jamais. Plus que tout, c'est garder toutes ces possessions inutiles qui détruit sa vie : son mariage est morne, son mental encombré, son énergie sapée.

Vivre, c'est regarder en avant

« Vivre signifie croître, en insistant dans un effort constant et en regardant toujours vers l'avant. »
Yaeko NOGAMI (1885-1985), femme écrivain japonaise, interview télévisée japonaise

Lorsque Mme Yaeko Nogami énonça cela, elle avait plus de quatre-vingts ans et elle continuait à étudier l'allemand.

Tout au long de notre existence, nous changeons, mais c'est vers la cinquantaine – soit à peu près vers la moitié de la vie – que nous commençons à changer vraiment. Survient alors souvent une dépression. Les enfants quittent la maison, on entrevoit la retraite et l'angoisse du futur, de la vieillesse se met telle une petite lampe rouge à clignoter. Nous commençons alors à regarder en arrière, incapables d'imaginer le futur, nous rabougrissant sous l'angoisse de ce qui nous attend. Cette période est bizarre pour nombre de personnes. Elles commencent à souffrir d'anxiété, à applaudir le passé ou à se conduire à nouveau comme des adolescents. Le « démon de midi » en est un exemple. Pourtant, elles ont réalisé tout ce dont elles rêvaient : une maison, une famille, plus de temps qu'autrefois, moins de contraintes, la sécurité matérielle...

Cette décennie est le moment idéal pour laisser un stade de sa vie derrière soi et passer au suivant. Chaque saison a ses avantages et le plus grand de tous est de laisser partir ce que l'on ne peut retenir. Nous devons faire disparaître les décombres de l'ancienne vie, afin de déblayer le terrain sur lequel nous allons entreprendre la seconde partie de notre vie ; nous devons oublier le passé, retenter ce que nous avons gâché et maintenir les yeux fixés sur l'avenir. Après avoir goûté aux joies matérielles et compris que l'essentiel ne se trouve pas en elles, il est alors plus facile de s'en détacher pour commencer l'ascension vers d'autres sommets, et de se défaire, à chaque « escale », des biens qui ne nous serviront plus pour retrouver la légèreté de la jeunesse, la mobilité et la disponibilité d'esprit que famille et obligations professionnelles nous avaient subtilisées. La cinquantaine, la soixantaine est le moment d'entreprendre tout ce que vous n'avez pas pu faire jusqu'alors, de mettre en œuvre de grands projets. Une vie avec un but est en général meilleure, plus riche et plus saine qu'une vie sans but. Et quoi de plus évident que d'aller dans le sens du courant plutôt que l'inverse ? Vous devez découvrir un but auquel aspirer si vous ne voulez pas que la seconde partie de votre vie soit « rabougrie » et triste. Délestez-vous du plus grand nombre de possessions possibles et commencez à mettre en route la réalisation d'au moins un de vos rêves. Vous assumerez alors complètement les changements de votre vie en en vivant chaque mutation pleinement. Pourquoi ne pas, comme lorsque vous aviez vingt ans, changer de lieu, vous fixer de nouvelles priorités ? Vous verrez alors apparaître dans votre existence une cohérence. Les affres de l'indécision feront peu à peu place à des choix calmes et cohérents reflétant la liberté croissante de votre espace intérieur. Vous avez passé beaucoup de votre temps en futilités portant sur le monde matériel. Vous pouvez dès lors faire de fascinantes et enrichissantes expériences.

Cesser les activités qui accélèrent le processus du vieillissement

> « Le plus que l'homme puisse atteindre est l'étonnement,
> et si le premier phénomène l'étonne, qu'il soit satisfait.
> Pas davantage ne pourra lui être donné,
> et rien de plus il n'aura à chercher. Là est la limite. »
>
> Goethe

Certes, il n'y a rien à faire contre les effets du temps, mais ce qui est en notre pouvoir est de cesser ces activités qui en accélèrent le processus. Si nous y réfléchissons bien, qu'est-ce qui a demandé, en plus du travail, le plus d'efforts à notre corps ? N'était-ce pas d'acheter, de ranger, d'entretenir, de déplacer tous ces objets lourds qui nous pèsent et nous usent ?

Ceci peut être utile à une période de la vie (la période active) pendant laquelle nous n'avons pas de temps et où il est nécessaire de l'économiser, mais ensuite, nous devons nous demander : « Économiser du temps pour quoi ? »

Vous pouvez entamer la seconde partie de votre vie en concluant tout ce qui est à conclure, en vous débarrassant de ce qui vous attache en savourant à l'avance cette nouvelle « saison » comme la meilleure.

Vivre est un art. Vous pouvez, libéré de mille choses inutiles, retrouver une nouvelle énergie, une nouvelle liberté, de nouveaux plaisirs. À soixante-quinze ans, vous avez encore un quart de votre vie à vivre ! Avec peu, vous vous sentirez libre et léger comme à l'époque de vos jeunes années, avec, en prime, l'absence de l'angoisse d'un futur à assurer.

La vieillesse exemplaire des vieux taoïstes

*« Les taoïstes n'observent pas de règles de conduite rigides [...],
car leur entraînement rend la modération instinctive et joyeuse.
Ils recherchent l'harmonie en toutes choses
afin que leur chên puisse demeurer tranquille.
Leur cœur est serein ; ils surveillent donc leurs pensées et leurs
émotions afin que l'énergie mentale
et affective ne soit pas bêtement gaspillée. »*

John BLOFELD, *Le taoïsme vivant*

Le merveilleux écrivain et philosophe John Blofeld,
auteur de nombreux ouvrages sur l'Asie, nous raconte
la vie de ces vieux taoïstes de Chine dont la jeunesse
et la joie de vivre étaient inévitablement communica-
tifs. L'adepte, rapporte-t-il, vivait avec les saisons. Au
nouvel an, il ornait sa maison de ravissantes compo-
sitions de narcisses, de cailloux placés dans des réci-
pients plats en poterie et de branches de pruniers
d'hiver en fleurs, disposées dans des vases anciens de
porcelaine. Il dédaignait les fleurs hors saison, les
considérant comme un affront à la nature. Au printemps, il faisait du bateau sur les lacs en compagnie
de ses vieux amis ou allait visiter des lieux célèbres
pour leur beauté. En été, il passait une grande partie
de son temps à prendre le thé dans l'un des parcs de
la ville ou à s'occuper de sa cour emplie de lauriers
en pots roses et blancs. Ses amis passaient pour voir
ses dernières acquisitions de poissons rouges. Le vin
aidant, ils composaient des poèmes que leur inspi-
raient ces merveilles.

On pouvait souvent le rencontrer au marché où il
achetait des fleurs ou des poissons rouges, en s'arran-
geant pour dépenser le moins possible. Les articles

chers n'étaient pas pour lui. Il savait choisir ceux que les gens riches dédaignaient et qui lui permettraient de composer un ensemble harmonieux pour son propre plaisir et celui de ses amis. Il passait chez lui une grande partie de son temps à lire des ouvrages anciens, faire de la musique, peindre. Sa vie semblait idyllique, mais malgré le côté en apparence dilettant, frivole, « paresseux » de sa vie selon les normes du monde, il pratiquait l'art de prendre soin et d'entretenir son énergie vitale. Pour lui, ceci était une affaire très sérieuse : faire du yoga et des exercices de respiration, méditer, rester en contact avec la nature pour ne pas déranger sa tranquillité, ne pas gaspiller ses forces, éviter toute activité sans harmonie avec les saisons, toute activité qui exige intrigues, complots ou conflits, tout abandon aux passions ou aux anxiétés stupides… « Se promener dans la vie », suivre le courant de la nature, voilà comment il veillait à ne pas gaspiller son énergie dans les pensées et les émotions. Flotter dans la sérénité, rechercher l'harmonie en toute chose, voilà ce qu'il s'efforçait de maintenir pour devenir éternel et laisser partir sans regret, le moment venu, son corps physique comme une vieille loque dont il n'aurait plus besoin.

3

Plus de joie de vivre

LA SÉRÉNITÉ DÉCOULANT DU LÂCHER-PRISE

Le bonheur, est-ce posséder des biens ?

« L'oiseau ne peut être joyeux dans les frontières de la nécessité.
Il doit sentir que ce qu'il a est incommensurablement
plus qu'il ne peut jamais vouloir ou comprendre ;
alors seulement, il peut être heureux... »
Ivresse de brumes, griserie de nuages, poésie bouddhique

Dans cette société où tout est compliqué, contradictoire, voire absurde, nous devrions nous réserver quelques instants pour nous entraîner à l'exercice du « lâcher-prise », afin de repartir de zéro, et de réaliser enfin que tout est à nous : le ciel, la terre, le soleil, les monts et les rivières, sans qu'il y ait besoin de les mettre dans notre poche. Nous pouvons nous libérer, ne serait-ce que quelques instants, de notre possessivité, pour voir un peu plus grand et un peu plus lucidement. Mais cette idée est difficile à faire accepter aux civilisés qui sont déjà formés d'une autre façon : lâcher prise ne mènerait pas à la folie ? Pour la plupart, même s'ils admettent qu'il est bon de faire le vide, leurs habitudes mentales et physiques ne le leur permettent pas. Ils gardent ainsi tous leurs problèmes pendant le sommeil, accumulant fatigues et insomnies.

Est-ce que le but de la vie est de collectionner les skis, les livres, les appareils électroniques, les antiquités, la vaisselle, les vêtements ? Est-ce cela, le bonheur ? La satisfaction ne vient-elle que de la nourriture, des drogues, des choses « excitantes » ? Êtes-vous constamment en train de chercher à devenir quelque chose, quelqu'un, à la recherche de quelque plaisir, de quelque amélioration sur le plan matériel ? Croyez-vous que c'est en faisant l'acquisition de biens supplémentaires que vous serez plus heureux, plus complet ? Attendez-vous que ce soit un homme ou une femme qui donne un sens à votre vie ?

Ceux qui n'ont pas trouvé la vraie richesse, qui est une joie radiante, une paix profonde, le sentiment d'être relié à quelque chose d'immense et d'indestructible, quelque chose qui, presque paradoxalement, est essentiellement soi mais pourtant bien plus grand que soi, sont des mendiants, même s'ils possèdent des fortunes.

Nombreuses sont les personnes gardant des objets qui ne représentent que ce qu'elles aimeraient faire (reprendre le dessin, le ski, la guitare, le tricot…), et ne vivent que dans un passé mort ou un avenir potentiel. Garder ces objets pour se construire une vie heureuse que l'on a l'impression de ne jamais avoir eue, se créer par anticipation des souvenirs, c'est ne vivre que par hypothèse.

Un rêve doit rester un rêve : c'est un trésor en soi. Mais c'est une expérience sur un « autre plan ». On peut être heureux autrement que par le fait de posséder. Le bénéfice d'avoir peu est la capacité mentale de se concentrer sur ce qui n'est pas matériel, sur l'expérience de vivre elle-même. Nous voulons retrouver la nature, le naturel ; mais nous ne nous créons plus que des rêves réalisables. Nous avons perdu le don de nous émerveiller des mystères, d'être fascinés par l'univers. Même celui-ci doit être expliqué ! Peu de gens réalisent que le bonheur ne se trouve pas dans les plaisirs mondains, l'argent ou la notoriété. Ils meurent alors avec un rêve irréalisé.

Nous nous sommes retirés du cosmique ; nous ne cherchons plus à retrouver la partie ancestrale de nous-mêmes. Les Américains, eux, avec Kerouac, les westerns, étaient jusqu'alors, mine de rien, plus forts que nous.

Chiyo, une amie, m'explique que lorsqu'elle était jeune, après la guerre, il n'y avait presque rien chez ses parents. C'est à peine s'il y avait assez de bols pour chacun des membres de la famille, mais c'était la période de sa vie la plus heureuse. « Nous n'avions rien, mais nous étions si heureux ainsi ! Quand nous avions faim, mon père allait pêcher un poisson. Nous étions libres. Nous étions légers. Aujourd'hui, il y a trop de choses. Les gens deviennent fous. Les voitures, principale cause du réchauffement de la planète, ont fait disparaître à jamais le bon temps de mon enfance », continue-t-elle.

Qui ne serait pas d'accord avec elle ? Regardons les grands amoureux de la vie, comme Thoreau quand il parlait du chant des grillons…

Ne plus avoir peur de perdre ses possessions

« J'emportais mes livres, [l'urne contenant] les os de ma mère :
le chagrin m'accabla de nouveau. J'étais lourd, titubant. Je
compris que j'étais loin du Bouddha. Je tenais trop aux choses.
Je n'avais renoncé à rien… Je croyais m'être rendu léger et
cependant ce vase passait pour ma richesse ;
ce vase devenait désirable, était devenu mon maître.
Et à l'instant où il s'était brisé, il avait encore
assuré sa dominance sur moi,
puisqu'il s'était emparé de mes émotions. Il m'appartenait, je lui
appartenais plus encore… Rien ne pèse lorsqu'on sait que tout
est illusion. Je suis heureux comme je ne l'ai jamais été.
J'ai appris à m'éloigner de moi,
à ressentir la vacuité des choses et à prier pour le destin
des créatures. Rien n'est permanent
dans ce monde. Tout est frappé d'éphémère. »

Natsuki IKEZAWA, *Des os de corail, des yeux de perle*

Ce n'est pas tant le nombre et la diversité de nos possessions qui est le problème, mais l'attachement que nous leur portons. Quand l'attachement devient de plus en plus fin et qu'il se brise, nous découvrons alors une nouvelle liberté : celle de ne plus craindre de perdre ce que nous croyions être à nous.

Là où nous sommes encore attachés, nous sommes possédés, et quand nous sommes possédés, nous ne pouvons être maîtres de nous-mêmes. L'affluence matérielle n'est pas à minimiser, mais son rôle pour bien vivre devrait être de nous faciliter l'accès à d'autres formes de richesse. Le détachement est la porte qui ouvre sur cette richesse. Cependant, il ne s'atteint qu'au prix d'une longue et régulière pratique d'affinement dont l'aboutissement ne consiste pas à s'abîmer dans une totale indifférence mais à considérer les choses comme le ferait un miroir, non pas pour avoir prise sur elles, mais au contraire pour s'en détacher. C'est lorsque l'on n'a plus rien que l'on a tout. C'est lorsque l'on se vide de tout que l'on crée une place en soi prête à recevoir de plus grands bonheurs. Ne vous attachez à rien. Utilisez les choses, profitez-en, remerciez-les et quand elles ne vous servent plus, laissez-les partir. La seule chose importante est peut-être de trouver un endroit agréable où vivre, un endroit où vous vous sentiez parfaitement à l'aise. Tant que vous serez esclave du monde matériel, la plus grande partie de votre être ne se développera pas. Débarrassez-vous de l'inutile, et vous finirez par devenir votre propre maître. Vous saurez profiter des choses sans vous y attacher ; vous comprendrez que l'idée de se libérer de ses possessions ne relève pas de l'impossible et que vous vivrez encore mieux ensuite. Vous ne serez pas moins riche, pas moins beau et pas moins intelligent. Vous deviendrez même quelque chose de mieux : vous-même. La liberté gagnée vous incitera à vous débarrasser encore plus. Un proverbe zen dit que ceux qui ne possèdent rien n'ont pas de souffrances. Autrement dit que la souffrance vient de la possession…

Ma vie ? Deux valises, un ordinateur. Plus serait trop pour mes deux mains.

Avec rien ou presque, on est chez soi partout

> « Rien qui m'appartienne
> Sinon la paix du cœur
> Et la fraîcheur de l'air. »
> Kobayashi Issa, haïku

Avez-vous constaté combien nos objets nous paraissent tellement plus précieux et intimes lorsque nous sommes à l'hôtel, chez des amis ? On se sent chez soi avec eux. Rien d'autre ne nous manque. On se sent libre, heureux, prêt à profiter au maximum de la nouvelle journée qui s'annonce. Le quotidien, la routine, les problèmes semblent si loin alors ! On peut aller de l'avant, découvrir, vivre. Si vous possédez très peu chez vous, vous vivrez un peu comme en vacances. Vous ne serez plus limité par l'idée que le bonheur ne se trouve que chez vous, ou hors de chez vous, ou dans un endroit précis, donc réduit. Vous serez moins attaché à un lieu, une émotion, une idée.

BONHEUR OU PAIX ?

Plus que le bonheur, la paix

> « Si l'on a trop de choses pour être heureux,
> c'est exactement le contraire qui se produit. »
> James Allen

Se délester à tous les niveaux apporte à l'existence un nouvel ordre, une structure, une cohérence interne merveilleuse, la légèreté (au sens de quelque chose qui ne pèse pas, qui allège) ; cela libère l'esprit des trivialités et des banalités. Élaguer le superflu, que ce soit des lectures inutiles, des fréquentations peu enrichissantes, des consommations ostentatoires, des activités vides de sens… est quelque chose d'absolument merveilleux qu'il faut vivre pour comprendre. Chaque chose prend alors automatiquement son sens. Plus l'intention de vivre ainsi est claire, plus l'élagage se fait sans douleur. Plus on jette, plus on devient lucide. Plus on découvre que nous n'étions pas plus heureux avec ces anciennes possessions dont on s'est débarrassé, plus on comprend que l'insatisfaction chronique qui nous fait sans cesse désirer davantage nous empêche de trouver le repos du cœur et de l'esprit. L'antidote à cette insatisfaction est de revenir à soi, de ne plus s'épuiser à courir derrière ce qui nous manque, de jeter tout ce qui amène à vouloir encore plus et de savourer le bonheur qui irradie à travers le fait de vivre, tout simplement. Quelle sensation extraordinaire que de ne plus se sentir possédé par ses propres biens et ses propres besoins !

On ressent enfin ce bonheur de liberté le jour où l'on ne possède plus rien à soi, si ce ne sont les nécessités indispensables du quotidien (de quoi se loger, se nourrir, se vêtir, entretenir sa santé et son esprit), et non des milliers de vieilleries dans ses greniers, ses placards ou sa maison de campagne.

Jeter n'a pas pour but la satisfaction ou le plaisir, mais une vie dans davantage de légèreté, de sérénité et de grâce.

Bonheur paix et lâcher-prise

Pour trouver la véritable paix, pour cesser de vivre dans l'illusion du bonheur qui, puisqu'il n'est jamais sûr, est une autre forme de douleur (quand on l'a trouvé, on ne peut qu'y mêler la crainte de le perdre), il est important de prendre conscience que bonheur et paix sont deux choses distinctes.

Le bonheur dépend la plupart du temps de choses extérieures. La paix, elle, est un état qui s'acquiert. Même si tout s'écroule autour de soi, la paix peut être ressentie au cœur de son être, à la différence du bonheur.

Alors, comment trouver cette paix ? En pratiquant le « lâcher-prise », en entrant dans un état de non-résistance, en cessant de désirer, de s'accrocher aux choses, aux mots, aux gens, à l'idée d'être « soi » (idée qui nous limite), à l'idée même du bonheur. Le zen recommande de reconnaître d'abord l'inconstance de toute chose, puis de n'y opposer aucune résistance afin de ne plus dépendre de ce qui est bon ou mauvais. Cela semble paradoxal, mais une fois que l'on est parvenu à cet état, la vie paraît s'améliorer considérablement. Les choses, les gens, les conditions dont avait besoin notre esprit pour être heureux viennent alors sans effort de notre part et nous sommes libres de les apprécier pendant le temps que cela dure. Mais nous n'en sommes plus dépendants : nous ne redoutons plus de les perdre. Toutes sortes de thérapies peuvent avoir des effets bénéfiques, mais rien ne peut restaurer notre flux vital mieux que la pratique de la non-résistance et du lâcher-prise. Seul le sourire est nécessaire. Le « Let It Be » des Beatles n'est pas qu'une chanson. C'est une loi fondamentale.

UN EGO MOINS ENVAHISSANT

Oublier le « je »

> « Le corps est fait de nourriture,
> comme l'esprit est fait de pensées.
> Voyez-les tels qu'ils sont. La non-identification, quand elle est naturelle et spontanée, est la libération.
> Vous n'avez pas besoin de savoir qui vous êtes.
> Il vous suffit de savoir que vous êtes, tout simplement.
> Vous ne saurez jamais ce que vous êtes, car chaque découverte révèle une autre dimension à conquérir.
> L'inconnu n'a pas de limites. Fixez-vous des tâches apparemment impossibles.
> Voilà le Chemin ! Vous n'êtes pas votre pays, votre race, votre religion. Vous êtes votre propre moi avec ses espoirs, et l'assurance de posséder la liberté.
> Trouvez ce moi, attachez-vous à lui et vous serez sauf et en sécurité. »
> Le grand Maharadjah, Less is more

La barrière de l'orgueil empêche les gens d'accepter une chose très simple : c'est en nous que se trouvent les solutions à nos propres problèmes. La liberté ne dépend d'aucune condition matérielle ou objective. On peut se sentir libre dans la pire des contraintes aussi bien que prisonnier au comble du bonheur. Mais pour cela, il ne faut pas s'accrocher à l'image d'individu social, il faut oublier le « je », détourner son esprit de la poursuite de soi-même. Celui qui est parvenu au détachement possède une personnalité à force d'impersonnalité. Il n'a plus le point de vue de l'homme qui calcule, qui ramène tout à son intérêt. Il ne se sent plus contraint d'agir de telle ou telle façon, de donner son opinion, de s'obstiner à vivre attaché à sa propre existence et à ses propres points de vue.

Nos sensations, nos façons de voir et de penser dans un moment précis ne sont jamais absolues. Elles ne sont rien d'autre qu'un jugement provisoire généré par une expérience de vie découlant d'une accumulation de circonstances personnelles et particulières, ainsi que de conditions physiques et émotives engendrées au cours de ces mêmes circonstances.

Ce dont il s'agit, au sens absolu, c'est de répondre à l'exigence d'un abandon de soi, ce qui ne veut pas dire être dépourvu de caractère, mais considérer tout ce qui nous arrive comme si, au fond, cela ne nous concernait pas. Aimer quelque chose, ne pas l'aimer… nous mesurons tout avec notre propre mètre. Quel égoïsme de croire que c'est nous qui avons raison, et les autres torts ! Il faut se dépouiller de ce soi conscient ou caché dans toutes ses expériences, pour découvrir une autre dimension.

Ne plus être attaché à son « moi »

« Votre vie entière est concernée par l'accumulation d'énergie.
Le plus de croyances vous retirez de votre espace intérieur,
le plus de place vous aurez pour une nouvelle énergie. Renoncez
à toujours vouloir posséder plus, être plus, pour vous prouver
votre propre valeur. Vous n'avez pas besoin de plus pour être
libre ; l'énergie interne est concentrée sur les accumulations, les
acquisitions, les récompenses, les trophées,
la reconnaissance et l'argent. Non, vous n'avez pas à vous sentir
paresseux, coupable, honteux, irresponsable si vous ne vous
lancez pas à la recherche de plus.
Vous pouvez chercher à accumuler une autre sorte d'énergie,
une énergie qui vous mènera directement
à la paix plutôt qu'au tumulte intérieur.
Passez du temps en compagnie de vos proches,
lisez, allez vous promener plutôt que d'essayer
d'aller toujours de l'avant. La liberté,
c'est avoir le choix d'être, plutôt que d'accumuler.
Apprenez à dire "Je passe". Vous en éprouverez
un soulagement extrême. »
Le grand Maharadjah, *Less is more*

La plupart des gens passent continuellement d'une dépendance à une autre. Aujourd'hui, ils dépendent du temps, demain d'une possession, après-demain d'une personne et presque toujours de ce qu'ils sont. Ils ne réalisent pas qu'ils dépendent de ce à quoi ils sont suspendus, traînant sans s'en apercevoir un boulet.

Nous sommes, avant tout, de l'énergie. Commencer par réaliser que nous ne possédons rien, que nous ne sommes rien, c'est faire un pas vers la liberté. Quand vous serez capable de dire que vous n'êtes rien, à ce point, vous serez tout. Si vous vous définissez, il y aura toutes sortes de choses que vous ne serez pas.

Devenir un esprit et non un ego

« Balayer ce qui est, balayer ce qui n'est pas, c'est balayer le terme même de balayer. Oublier la forme, oublier la matière, c'est oublier le fait même d'oublier.
En éliminant le moi subjectif comme le monde objectif, on rencontre la sagesse suprême au-delà du temps. »
Tu LONG, Propos détachés du *Pavillon du Sal*

Si nous voulons évoluer, il nous faut nous débarrasser de notre ego, de notre personnalité, afin de voir les choses dans leur ensemble, et non partiellement. Cette quête peut complètement transformer une personne dans ses attitudes, ses émotions, son intellect, sa psychologie, sa spiritualité et même son physique. C'est toujours le sens du « moi, je » qui détermine notre attitude. La cupidité, l'arrogance, l'agressivité et les exigences viennent toutes d'un moi rabougri. Le partage, l'humilité, la conciliation, la grâce, sont, au contraire, les dispositions venant d'un moi épanoui, c'est-à-dire en retrait. Quand une culture s'est rabougrie, ses préoccupations dominantes sont le profit, la compétition brute, l'impérialisme économique, un extrême nationalisme, des conflits militaires, la violence et la peur.

Désirer mener une vie simple est bien plus important que rechercher le mieux être ! Mais cela ne peut venir qu'après avoir oublié le soi. On sait alors que la vie est quelque chose qui est bien au-delà de l'intellect. On a une autre perception de la réalité. Beaucoup de bouddhistes dégagent tranquillité et transparence : ils sont revenus vers la vie ordinaire en l'habitant d'une manière plus tranquille, sans vouloir happer les choses, les utiliser à tout prix, chercher à les saisir en permanence, se goin-frer. Ils sont tellement loin du concept du mieux-être !

Le prix des masques que nous portons

> *« Toute ma vie trop paresseux pour me conformer aux règles*
> *Joyeux, toujours joyeux, suivant librement ma nature*
> *Dans ma besace, trois mesures de riz*
> *Près du foyer, un fagot de bois*
> *Pourquoi se préoccuper de l'éveil ou de l'illusion ?*
> *Pour ce qui est de rechercher les honneurs ou la fortune*
> *Je n'en parle même pas.*
> *La pluie nocturne tombe sur ma cabane*
> *au toit de paille*
> *Détendu, j'allonge les deux jambes. »*
>
> Ry Kan

La liberté nous coûte le prix du masque que nous por-tons. La vraie liberté, c'est l'absence totale d'intérêt envers soi-même. Et le meilleur moyen d'y parvenir est de porter son intérêt vers les autres. Pouvez-vous imagi-ner une journée entière sans penser une seule fois à vous-même ? Une journée pendant laquelle rien ne vous offenserait, ne vous dérangerait, ne vous causerait de colère ? Une journée pendant laquelle vous ne vous demanderiez pas pourquoi vous n'êtes pas plus riche, pas mieux traité, pas mieux apprécié ? Une journée où vous ne vous compareriez pas aux autres, n'attendriez rien d'eux ? Une journée pendant laquelle vous vous contenteriez de vivre ? Une journée à rêver sans espérer quoi que ce soit, à accepter de tout perdre, même le rêve lui-même ? Si vous pouvez suspendre votre pro-pre importance sans pour autant perdre l'estime de vous-même, vous choisissez la liberté. Quand vous n'avez plus rien à perdre, vous êtes libre.

Une personne qui aspire à ce « non-moi » a élaboré, à l'intérieur de son esprit, un monde « portatif » qui peut la sauver de ses peurs et de ses anxiétés, de sa terreur ou de son désespoir. Elle peut s'échapper de l'emprise des médias, des démagogues ou des exploiteurs de toutes sortes. Elle sait échapper au chaos de la société.

Le ku, ou la disparition du « moi »

> « L'éternité, c'est vivre heureux dans le ku. »
> Propos d'une vieille Japonaise

Hannya Shingyô, prière japonaise zen équivalente au Notre-Père chrétien, a pour but de faire disparaître le « moi ». Un jour, expliquent les bouddhistes, vous deviendrez vieux, peut-être malade. Connaître le *ku* aide à mieux endurer les souffrances.

La philosophie et l'éboueur : votre moi ne devrait être qu'une enveloppe

> « Apprendre quelque chose pour pouvoir le vivre à tout
> moment, n'est-ce pas là la source de grand plaisir ?
> Recevoir un ami qui vient de loin,
> n'est-ce pas là la plus grande des joies ?
> Être méconnu des hommes
> sans en prendre ombrage, n'est-ce pas le fait
> de l'homme de bien ? »
> Confucius

Il n'existe pas une seule philosophie. Chaque philosophie n'est pas meilleure ou moins bonne qu'une autre. Mais certaines sont préférables, certes, dans le sens qu'elles nous apprennent à nous libérer (alors que d'autres nous enchaînent comme la philosophie du profit et de l'économie). La meilleure des philosophies est celle qui est légère, aérée, fluide, changeante, accommodante et facilement oubliée. Notre but devrait être de devenir invisible. Stuart Wild, philosophe américain, nous donne l'exemple du ramasseur de poubelles qui, dit-il, peut être quelqu'un d'une grande spiritualité. Il fait son travail diligemment, il sert la communauté, il peut être « Dieu » en cachette. La spiritualité, c'est l'éboueur qui croit en lui-même, la clocharde qui sait qui elle est et mène une vie non encombrée, en dormant sous un pont.

Se sentir soulagé et comme maître du monde

> « Ce sont des moments d'intense remaniement intérieur.
> Ils nous entraînent à parcourir des chemins jamais parcourus, à rouvrir des pistes mal balisées, à oser franchir des obstacles qui paraissent impossibles à affronter.
> Ils nous conduisent au-delà de nous-mêmes. »
> Lydia FLEM, Comment j'ai vidé la maison de mes parents

Une fois que vous vous serez débarrassé de tout, de nouvelles cordes seront touchées et des forces nouvelles que vous n'auriez jamais pu suspecter auparavant seront dénouées. Vous serez comme transporté dans un autre monde, vous éprouverez un sentiment extraordinaire de soulagement avec l'impression d'avoir atteint un idéal qui vous donnera la sensation d'être presque surhumain. Vous vivrez dans l'allégresse et apprécierez beaucoup plus les vraies choses de la vie :

la nature, les animaux, les êtres humains…, en un mot tout ce qui bouge, tout ce qui vit. Vous serez enfin dans le présent, vous aurez enfin transité dans un monde qui dure à jamais.

Notre système d'éducation est fondé sur le principe d'accumulation : possessions, informations… Plus nous avons, plus nous sommes confus, plus nous perdons de vue la sagesse qui est déjà en nous. Apprenez à frapper à la porte de votre propre être. Si vous voulez changer le monde autour de vous, vous avez seulement besoin de changer la qualité de votre propre être et de ses vibrations. Au fur et à mesure que ces vibrations changeront, la qualité de ce qui est autour de vous changera aussi. Les circonstances, les situations, les événements et les relations que nous rencontrons dans notre vie sont le reflet de l'état de conscience dans lequel nous sommes. Le monde est un miroir. Si nous sommes ancrés dans un moi qui n'est pas notre statut, notre rang, nos possessions, le monde entier est à notre disposition.

Petit exercice pour la « mort de l'ego »

Retirez toutes les étiquettes attachées à votre vie. Essayez de composer quelques lignes décrivant qui vous êtes, et dans lesquelles vous ne mentionnerez ni votre âge, ni votre sexe, ni votre position, ni vos accomplissements, ni vos possessions, ni vos expériences, ni des données héritées ou géographiques. Vous vous rendrez probablement compte que vous êtes très aveugle en ce qui concerne votre véritable « moi ».

L'intellect et le quotidien

*« C'est une absolue perfection,
et comme divine de savoir jouir loyalement de son être. »*
Michel DE MONTAIGNE, *Essais*

Le zen enseigne que ce n'est pas l'intellect qui peut nous donner la réponse, mais le quotidien : cuisiner, faire le ménage, méditer, regarder les choses aller et venir. La personne qui s'est dépouillée du superflu se réjouit des choses les plus simples, comme si celles-ci étaient tout ce qu'elle pouvait désirer. Elle a résolu les dichotomies de sa vie ainsi que ses problèmes. Les activités du quotidien prennent le sens d'actes sacrés, d'actes de création : cuisiner, jardiner, prendre un bain, et même enseigner, monter un business… Tout est alors fait différemment, et mieux. Une fois que l'on s'est débarrassé du superflu, de l'attachement aux objets, on possède plus d'énergie, d'assurance et de sens dans ce que l'on fait. Nombreux sont ceux qui rêvent d'atteindre cet état de profondeur et de déta- chement, mais ils ne sont pas prêts à en payer le prix : engager leur personne au-delà de ses propres limites.

Se dépouiller de tout le superflu, faire ce qu'il y a à faire, voilà les premiers pas qui ouvrent les portes de la connaissance.

Deuxième partie

PRÉPARATION
AU DÉSENCOMBREMENT

1

Le tri identitaire

AVOIR UNE VÉRITABLE PRISE DE CONSCIENCE

Tout prend d'abord forme dans le mental

> *« La simplicité n'est pas simple.*
> *Comme la lune dont la lumière des rayons*
> *va en s'amenuisant sur un point précis d'un temple japonais,*
> *nous devrions nous concentrer sur une sphère jusqu'à ce*
> *qu'éventuellement elle ne se réduise qu'à ce même point aigu*
> *dans notre conscience. »*
>
> Yoko ONO, interview

Si jeter est un geste, ce geste est commandé ou généré par le mental. Posez-vous un instant et observez le monde des choses dans lequel vous évoluez. Que représentent ces objets pour vous ? Ces choses du quotidien, le bric-à-brac sur votre bureau, les petits achats non conséquents reflètent-ils des choix conscients ? Les gens, parce qu'ils ne savent pas ce qu'ils aiment vraiment, qu'ils ne connaissent pas leurs véritables besoins, achètent toujours et encore pour trouver une espèce de satisfaction qu'ils ne peuvent définir. De même, de ce qu'ils ont déjà, ils ne savent pas précisément ce qui leur convient, ce dont ils n'ont pas ou plus besoin. Par conséquent, ils ne peuvent pas jeter : ils ne se connaissent pas. Or quand on sait où l'on va (à la montagne, par exemple), on n'emporte que ce dont on a besoin ; on se charge beaucoup moins que lorsqu'on ne connaît pas sa destination (tropiques ? pôle Nord ?). Il en est de même dans la vie. Quel seraient, tout en restant dans les limites de vos moyens, l'intérieur de vos rêves, votre style authentique, vos véritables besoins ? Vivez-vous ainsi ?

Pour savoir que jeter, et donc que garder, il faut d'abord se connaître

Tout ce que nous avons accumulé jusqu'alors est le fruit de nos pensées : non seulement notre corps et nos facultés, mais aussi nos amis, nos activités, nos possessions. Prendre conscience de ces pensées est donc le premier pas à franchir pour savoir ce que l'on veut garder ou jeter. Cela nécessite un énorme savoir : la connaissance de soi. Il ne suffit pas de savoir « à peu près » ce que nous voulons. Il faut le savoir jusque dans les moindres détails. Toute idée imprécise, nébuleuse, implique le danger, en gardant ou en jetant, de « tirer à côté », de manquer son but, et de rester, malgré cela, insatisfait. Il est donc nécessaire de ne rien abandonner au hasard et de réfléchir posément à ce dont nous choisissons de nous entourer. Repenser ses choix, faire le tri de ses possessions pour ne conserver que ce qui nous convient exactement (et rien de plus) renvoie à un tri identitaire. Ce n'est pas une tâche légère. Il faut y aller par tâtonnements, faire des erreurs et les accepter. Cela ressemble à un pèlerinage dont la montée vers le sommet se fait étape par étape. Il faut réfléchir de manière méthodique et précise, et avoir des notions claires, saines et raisonnables de la personne que nous choisissons d'être et de la vie que nous désirons mener.

Concentrez-vous sur chacun de vos objectifs

Qui êtes-vous aujourd'hui ? Comment désirez-vous évoluer ? Quels sont vos ambitions pour le futur, vos rêves ? Éliminer pour éliminer, sans aucune satisfaction en retour serait stérile, inutile et stupide. Mais vivre selon ses rêves ne relève pas de l'impossible. Seule la ferme intention de ne garder que ce que vous aimez vraiment pourra vous rapprocher de ce dont vous rêvez : une vie libre, sans lourdeurs ni excès. Tout ce dont vous avez besoin est de faire preuve envers vous-même de lucidité et de rigueur. Si vous portez toute votre attention sur ces deux qualités, votre vie se libérera de tout ce qui est superflu et superficiel, de tout ce qui sonne faux, obscurcit votre conscience, vous empêche de voir clair dans vos véritables besoins et désirs.

La concentration est en réalité un jeu d'enfant. Tout enfant normal, tout animal est un modèle de concentration. C'est justement parce que nous nous représentons la concentration comme difficile que nous commettons l'erreur de croire qu'il faut faire un effort. La concentration n'est pas une question de tension, mais avant tout de détente, une attitude juste en face de la chose imaginée, dont nous devons maintenir sans contrainte l'image joyeuse et chère. Les pensées sont des forces. Accorder une attention soutenue à chaque objet que nous utilisons, à sa qualité, à la valeur que nous lui accordons est indispensable pour faire un vrai tri. À condition de ne pas trop se perdre dans les vieux cartons de souvenirs et de ne pas passer son après-midi à relire de vieilles lettres au lieu de débarrasser le grenier !

MOI ET LES OBJETS QUI ME REFLÈTENT

Mon style, c'est ce que je suis de l'intérieur

« La beauté et la poésie dans l'existence demeurent dans la compréhension que nous en avons. Nos demeures, notre table, nos vêtements devraient être les interprètes de nos intentions. Que ces intentions soient ainsi exprimées, c'est la première nécessité de les avoir ; que celui qui les possède les rende évidentes par de simples moyens.
On n'a pas besoin d'être riche pour donner de la grâce et du charme à sa garde-robe ou son habitat.
Il suffit d'avoir du bon goût et le désir de bien faire. »
Charles WAGNER, *La vie simple*

Vous vivez avec style lorsque vous vivez de manière originale et authentique, lorsque vous faites des choses parce que vous les aimez vraiment, et non parce que vous avez lu dans un magazine que quelqu'un de riche et de connu les faisait. Vous vivez avec style lorsque vous laissez votre esprit libre d'inventer sa propre façon de penser, de sentir, et de faire ce qui vous convient à vous, et non selon un département de marketing. Vous vivez avec style lorsque vous vous reposez sur votre propre jugement plutôt que sur les affirmations énoncées par d'autres. Le style est une affaire d'indépendance, de rébellion même. Diana Vreeland, la célèbre éditrice en chef de *Vogue*, portait tous les jours de l'année une jupe noire. La personnalité d'êtres tels que Gandhi ou Mère Teresa est légendaire. Et pourtant, que possédaient-ils ? Vivre avec style signifie se détourner du mensonge, être soi-même, avoir confiance en soi, en son propre jugement. Jeter et vivre avec très peu est la meilleure façon d'être authentique, de se tenir à l'écart de l'artifice et de mettre en valeur non ce que l'on a, mais ce que l'on est.

Ne gardez que ce qui forme un « tout »

Nous gardons souvent des objets disparates dans l'espoir plus ou moins conscient de changer un jour de vie, de style, d'appartement, de lieu, de situation. Mais ces objets ne se marient pas entre eux et on ne les garde que par passivité. Ce n'est pas parce que vous rêvez d'habiter un jour un cottage anglais alors que vous résidez dans un immeuble moderne que vous devez garder cette vieille lampe de style victorien au fond de la cave. Si vous avez un jour les moyens de vous offrir ce cottage, vous aurez aussi sûrement les moyens de vous offrir la lampe. Éliminez tout ce qui ne fait pas partie de votre style de vie actuel. Gardez peu d'objets : c'est la solution la plus simple pour créer un tout, un « ensemble » qui représente, plus que le total des parties, un organisme vivant dans lequel chaque élément est non seulement indispensable, mais représente votre essence, votre charme, votre aura, en somme, vous. Chacun de vos objets doit s'accorder avec les autres : instituez une sorte d'inter-complémentarité dans vos possessions.

Être véritablement « stylé »

Paradoxalement, c'est en sachant exactement qui l'on est et en vivant selon ses propres besoins que l'on acquiert un style et un mode de vie vraiment personnel et original. Si nous nous connaissions réellement, non seulement nous aurions moins de choses, moins de besoins, mais plus de style. Les gens « stylés » ont un système très précis et savent ce qui leur va parfaitement. Ils n'achètent que les vêtements correspondant à leur personnalité, leur silhouette, vivent selon leurs moyens et sont en accord avec eux-mêmes, non avec les différents « moi » qu'ils aimeraient devenir. Efforcez-vous de ne garder que ce qui est le véritable reflet de vous. Quelle est votre couleur préférée ? Le style d'ameublement dans lequel vous êtes le plus à l'aise ? Lorsqu'on demande à une personne quel serait son cadre de vie idéal, elle décrit presque toujours un mode de vie parfaitement réalisable, mais qu'elle n'applique pas. Pourquoi ? La réponse est souvent « mais je ne vis pas seul », ou bien « mais non, voyons, que penseraient les autres ? ».

Atteindre son essence, certes, ne se fait pas du jour au lendemain. Il faut procéder par étapes successives de désencombrement jusqu'à ce qu'il ne reste plus que ce qui ne peut absolument pas être évité. Puis choisir, progressivement, ce qui vous ressemble le plus : des coussins fluo assortis à une litho d'Andy Warhol, un parquet de bois brut et quelques fauteuils crapaud, une cuisine entièrement vert mousse... Mais attention : dans votre quête d'identité, ne vous laissez pas entraîner de façon irrépressible, parfois même compulsive, dans l'univers des marchandises, comme l'avait entrevu Georges Perec dans son livre prophétique, *Les Choses* !

La geisha : une œuvre d'art de soi par soi

L'art véritable de la geisha est de faire d'elle-même une œuvre parfaite : éducation irréprochable dans diverses disciplines (chant, danse, cérémonie du thé, de l'encens, arrangement floral, calligraphie, choix dans la qualité, la couleur, le design de ses kimonos en fonction des saisons, des situations, du goût des clients), connaissances en politique, économie, psychologie (pour converser avec ses clients), perspicacité, raffinement, discrétion, etc.

Elle ne possède rien en propre, si ce ne sont ses kimonos, ses peignes ornements, son éducation, ses clients et son style de vie personnel (elle ne consent à voir ou à parler à personne jusqu'en début d'après-midi, entretenant le luxe de paresser chez elle, de picorer quelques bouchées de plats raffinés qu'elle se fait livrer, d'effectuer quelques emplettes, de consulter la presse...).

De nos jours, elle vit dans de magnifiques maisons anciennes de Kyoto, meublées de canapés design en cuir blanc, dans un style spartiate, zen et néanmoins extrêmement luxueux.

SAVOIR EXACTEMENT CE QUI M'EST NÉCESSAIRE

Définition de ce qui est nécessaire

« La liberté, c'est savoir reconnaître ce qui est nécessaire. »
Friedrich ENGELS, *Éloge des femmes mûres*

La définition du terme « nécessaire » dans le dictionnaire est la suivante : « qui est une nécessité pour perpétuer l'existence d'une personne ou d'une chose ; qui est essentiel ; qui est indispensable ». Et à cela s'ajoute : « utile ; un outil ».

Ce n'est pas le nombre d'objets qui importe, mais leur juste emploi. Ce n'est pas la multiplicité des moyens qui donne un résultat mais une limitation à ceux qui sont nécessaires, pas ceux qui sont seulement utiles. Peu de choses sont nécessaires à notre survie : de quoi se loger, se vêtir, se nourrir et maintenir le corps et l'esprit en bonne santé. Juste de quoi structurer le réel et enrichir le dépouillement.

Tout en considérant avec attention chacun de vos objets, demandez-vous s'il est pour vous un ami, une vague connaissance ou bien un simple étranger. Est-ce que vous l'aimez vraiment ? Vous serait-il facile de le remplacer si vous le perdiez ? (ou le remplaceriez-vous, tout simplement ?) Est-ce qu'il vaut l'effort d'être entretenu soigné, ou de faire partie de votre vie ? Pourquoi n'est-il pas ou rarement utilisé ? Une fois toutes ces questions examinées, vous pourrez décider de le garder ou de vous en séparer avec plus de discernement.

C'est justement parce que nous avons trop que nous ne savons pas faire les bons choix. Nous sommes les gardiens de trop d'objets à double usage, ou bien auxquels nous sommes tellement habitués que nous ne remettons même plus en question leur raison d'être dans nos vies.

L'ère du *dream getting* (rêves et désirs)

> *« Alors j'ai commencé à me demander quelles étaient les choses les plus communes et évidentes : l'air, la lumière, le ciel et la terre, l'eau, le soleil, les arbres, les hommes et les femmes, les villes, les temples… Toutes ces choses sont bien plus précieuses que les rubis, les perles et les diamants. »*
>
> Thomas Traherne

Il est fascinant en effet de voir combien peu nous suffit pour vivre. Et vivre bien ! Et c'est encore bien moins que ce que la plupart des gens imaginent. Aujourd'hui, nous n'avons plus besoin de rien. C'est l'ère du *dream getting* (rêves et désirs) : nous avons tout. Nos rêves les plus fous (comme la conquête de la Lune) se sont réalisés au-delà même de ce que nous pouvions imaginer. Nous devrions donc être encore plus en mesure que jamais de réaliser que, dans la vie, ce ne sont pas les choses qui comptent le plus.

Les possessions d'un Japonais à l'ère d'Edo

À l'époque d'Edo, l'ère la plus fastueuse du Japon, chaque foyer possédait un lot bien déterminé :

- un meuble de cuisine (provisions, ustensiles) ;
- un meuble à vêtements par occupant ;
- un petit coffre à usage personnel par habitant (lunettes, médicaments, correspondance…) ;
- une « table-boîte-plateau » (dont le couvert retourné devenait une table plateau), contenant la vaisselle personnelle de chacun (bol à riz, soupe, assiette à poisson, ramequin pour les légumes, tasse à thé et baguettes) ;
- un futon par occupant du foyer.

Quoi de plus à rajouter à cette liste pour nos contemporains, si ce n'est une télévision, un ordinateur, un téléphone, une machine à laver le linge (une des plus belles inventions), et un réfrigérateur (et encore… j'ai vécu parfaitement à l'aise sans, pendant vingt ans… !). Une fois ces nécessités acquises, tout ce qui vient s'y ajouter apporte un degré de satisfaction décroissant. Vous serez plus heureux si vous trouvez un mode de vie qui vous permet de rester maître de votre temps et qui dépend moins des choses matérielles superflues. Mais le comprendre est une chose, le mettre en pratique une autre. Quant à vivre ainsi pour le reste de ses jours (en être « viscéralement » convaincu), cela nécessite une totale métamorphose personnelle.

Bunko, le sac des bonzes japonais

> « *Nous sommes plus aveugles de tout
> ce que nous avons que de tout
> ce que nous n'avons pas.* »
> André DE LORDE

Le jour de son entrée dans les ordres, lorsqu'il est enfin ordonné après de nombreuses années d'études et d'ascétisme, le bonze japonais zen se fait raser le crâne ; on lui remet alors un sac gibecière en toile appelé *bunko*. Ce sac symbolise son renoncement définitif aux possessions et à l'avidité. Il devra désormais y faire tenir tout ce qu'il possède au monde : un rasoir, une brosse à dents, quelques cahiers de notes... Le nouvel initié fait alors vœu de pauvreté et manifeste ainsi, de manière tacite, son refus du monde de la consommation et de la richesse matérielle.

Aristote nous enseignait lui aussi que le bonheur appartient à ceux qui ont cultivé leur esprit du mieux qu'ils le pouvaient et veillé à ne préserver l'acquisition de biens matériels que dans des limites modérées. Les perdants sont ceux qui ont réussi à acquérir plus de biens matériels qu'ils ne peuvent en faire usage, et qui manquent de ces richesses de l'esprit comme la force de caractère, la santé mentale, la joie de vivre, et tant d'autres choses. Notre plus grande richesse, nous l'avons déjà : elle est en nous.

Des objets ergonomiques et agréables

> *« Si vous vous retirez dans l'intimité,*
> *tout sera à une plus petite échelle,*
> *mais vous serez abondamment satisfait. »*
> Sénèque

Ne gardez que quelques objets intimes et indispensables qui vous accompagneront tout au long de votre vie en vous apportant plaisir et service. Entourez-vous d'objets aux formes pures et sans âge, des objets de base indispensables, essentiels. Lorsque vous avez trouvé la perfection d'une forme, arrêtez-vous là. Ne cherchez pas, à tout prix, l'originalité. Pour obtenir le meilleur, il faut se défaire de tout le reste. Ouvrir une bouteille de vin avec un ouvre-bouteilles de sommelier, compact et de qualité, parfaitement adapté au geste, est le premier plaisir d'ouvrir une bonne bouteille. Une théière qui ne coule pas, ni trop grande ni trop petite, fait de l'acte de boire du thé un double plaisir : celui de manier l'objet et celui de boire le thé. Ne gardez donc que ce qui est agréable à l'emploi, à votre taille (un gros couteau n'est pas fait pour une petite main), confortable pour votre corps (un canapé sans accoudoirs ne permet pas de s'allonger confortablement, des chaises dures, de rester longtemps assis...).

Tout plaisir peut être décuplé si vous utilisez les bons objets. Ce que vous possédez devrait être « à votre taille ».

La qualité d'abord : neutralité et rigueur

Qu'est-ce qui fait la qualité d'un objet ? Le terme « qualité » vient du latin *qualitas*, qui pourrait se traduire par « propriété ». Si un objet n'a aucune « propriété », c'est donc qu'il est sans « identité », sans qualité, sans utilité. Autrefois, les objets étaient vecteurs de continuité et de stabilité ; cela contredit radicalement le principe de la mode et de ce que la société de consommation nous propose aujourd'hui. Ce n'est un secret pour personne que les choses aujourd'hui sont faites pour... ne pas durer. Cela afin de laisser la place à un autre produit dont la propriété principale résidera dans... sa nouveauté !

Il existe cependant des « classiques », des objets fabriqués depuis plusieurs décennies qui se sont révélés être d'une solidité à toute épreuve. Et ce ne sont pas forcément les plus chers ! Quoi de plus banal, mais de plus solide, neutre, multifonctionnel que le Pyrex®, par exemple ?

En décidant de posséder le strict minimum, il est indispensable de choisir les objets de la meilleure qualité. Les belles choses apportent une joie durable. Il vaut mieux n'avoir qu'une seule belle bague que trois. Et quand un objet est parfait, on l'oublie, on ne le voit plus. Il fait partie de soi. On n'a plus envie d'en changer ; on se sent bien avec lui, comme de belles chaussures qui se sont faites à notre pied.

Lorsque vous aurez découvert que la qualité n'est pas un luxe, vous ne la considérerez plus comme quelque chose pour les riches, mais comme quelque chose de normal. Ce qui n'est pas normal, c'est d'acheter un pull qui rétrécit au bout d'un lavage, un peigne en plastique qui rend les cheveux électriques, un fruit qui n'a pas de parfum (ou dont vous ne pouvez pas sentir le parfum puisqu'il est emballé) ou un appartement bruyant.

Des objets aussi neutres que possible

> *« Plus j'avance, plus je recherche*
> *une banalité de vie au quotidien.*
> *Cette quête de simplicité éveille en moi*
> *une profonde réceptivité aux manifestations*
> *du vivant et de ses lectures, même infinies.*
> *C'est seulement dans cet état de sérénité*
> *qu'on peut capter la source de son cœur. »*
> Ludwig WITTGENSTEIN

Dans le choix et l'utilisation des objets, n'hésitez pas à transgresser les genres et les catégories afin que ceux-ci deviennent le reflet de votre personnalité et de votre style de vie original : pourquoi ne pas servir des spaghettis dans un bol en laque, dormir sur un futon dans un endroit différent de la maison chaque jour ? Ne rechercher que des objets « neutres » est un choix apparemment paradoxal, mais que ce soit pour l'habillement, la vaisselle, le mobilier, les couleurs ou les goûts, l'à peine perceptible, le fade, le neutre, le discret et le non voyant touchent les sens de façon plus délicate. C'est, en fin de compte, le summum du raffinement, de la discrétion, de l'élégance et du goût, ce qui coïncide le plus harmonieusement avec un esprit avide de « non-avoir », de légèreté et d'efface-ment personnel.

Les meilleurs parfums sont souvent les plus discrets et les plus naturels. Si le parfum *Joy*, de Jean Patou, est le plus cher du monde, c'est parce qu'il n'est composé que d'essences naturelles. Une des cuisines les plus raffinées du Japon est celle de Kyoto dont la fraîcheur et le goût exceptionnel des légumes constituent leur critère essentiel. Moins elle est assaisonnée et moins l'intervention du cuisinier se fait sentir, plus les vrais grands gourmands l'apprécient. Une couette de futon au tissage en soie aussi fin et ajouré qu'une toile d'araignée, composée de milliers de fils de soie pour n'avoir, à la finition, que quelques centimètres d'épaisseur, est également un chef-d'œuvre de légèreté et de savoir des meilleurs, mais des plus rares, artisans. Lorsque vous regardez des vêtements dans une boutique, c'est bien souvent celui que vous remarquez en dernier qui sera celui que vous achèterez : il était tellement discret qu'il n'a attiré votre regard qu'après les autres. Les poètes et les peintres sont nombreux à préférer une lune voilée de nuages ou de brumes qu'une pleine lune dans un ciel d'été.

Sobriété des couleurs et des formes, économie des volumes, voilà le parfaitement indispensable pour servir notre quotidien.

Nos marques préférées

Savons-nous faire la différence entre deux savons sans étiquette et sans parfum ? Le niveau de la consommation est hautement irrationnel. Pourquoi préférons-nous une marque à une autre ? Le royaume de la consommation fait rêver d'un ailleurs où se mêlent fantasmes, désirs secrets d'escapade et d'émotions perdues dans l'inconnu. Les objets de marque ne sont pas forcément à rejeter, mais les objets sans marque non plus. C'est à vous de ne pas vous laisser impressionner par les étiquettes et de juger de la qualité des produits selon vos propres critères. Testez, faites des erreurs d'achat, vous apprendrez. Mais une fois que vous avez découvert un produit qui vous convient, ne cherchez plus. Certaines marques existent depuis des décennies. Cela prouve qu'elles satisfont leur clientèle de manière durable. Il est bon de les essayer.

Les objets possédant un bon *ki*

Le *ki*, c'est le mot qu'utilisent les Orientaux pour décrire l'énergie. De l'Orient à l'Occident, dans toutes cultures et à chaque époque, fétichisme, radiesthésie ou *feng shui* ont évoqué des phénomènes étranges liés à certains lieux, meubles ou objets. Toutes sortes de termes ont été attribués à ces phénomènes, mais ils se rapportent à une seule et même chose : leurs vibrations.

Que ce soit l'influence de notre instinct, de notre intuition ou de notre conscience, nous avons tous ressenti, au contact de certains objets, du dégoût, un malaise, de la répulsion, quelque chose de néfaste ou nuisible, comme ce qui nous vient d'un héritage, d'une personne, d'une brocante, d'une quelconque pratique de culte. Ne vivez pas dans un univers peuplé de puissances hostiles, d'objets qui se sont transformés en de véritables ennemis. Débarrassez-vous-en en les jetant, en les revendant ou en les rendant à la personne qui vous les a donnés. La mémoire des personnes est imprégnée dans les choses qu'elles ont utilisées. Ces objets ont été comme « domestiqués » par elles. Si certains objets vous rappellent des choses négatives (dispute, accident…), les garder ne vous fait aucun bien. Les associations personnelles que vous avez avec ceux-ci vous affectent au-delà de votre esprit rationnel. Si vous voulez oublier une bonne fois pour toutes ce moment de votre vie, éliminez tout ce qui s'y rapporte. Quand vous désencombrez votre environnement, vous désencombrez votre psychisme. Vous évitez même peut-être un terrible malheur. Quant aux animaux empaillés et massacrés pour notre bon plaisir, armes à feu, poignards, épées, arcs, flèches, même rares et de collection, photos ou tableaux évoquant les guerres, les tueries, donnez-les à des musées. Ne les gardez pas chez vous. Ne laissez pas ces vieux objets s'accrocher à vous pour garder leur place dans un monde qui n'est pas le leur. Ne gardez que des choses vibrantes d'énergie, des choses que vous avez du plaisir à utiliser, toucher, des choses qui vivent (les plantes, le bois, les tapis en fibres naturelles, les pierres, qui sont de nature minérale et nous apaisent au contraire du contre-plaqué, du ciment, des matières chimiques ou artificielles…). Ne gardez pas les objets négligés, oubliés, indésirables, mal-aimés ou inutilisés qui causeront des blocages d'énergie dans votre intérieur, vous donnant l'impression de ne pas avancer dans la vie. Ne gardez que les choses qui vous renvoient à leur tour votre amour.

Nos objets « garde-fous »

> *« Objets inanimés, avez-vous donc une âme*
> *Qui s'attache à notre âme et la force d'aimer ? »*
> Alphonse DE LAMARTINE,
> *Harmonies poétiques et religieuses*

Si vous n'en êtes pas encore à la sagesse des « renonçants » mystiques, sachez qu'il vous est légitime de vous réserver quelques objets « garde-fous » dans votre quête du désencombrement.

Certains de nos vieux objets nous sont familiers parce qu'ils ont incorporé une part de notre identité. Ils font alors partie de notre monde et acquièrent un sens puisqu'ils représentent un repère, nous protègent, en quelque sorte nous rassurent. Ils contribuent à la personnification de notre logis, même s'ils sont inutiles (que ferait Mr Bean sans son ours ?).

Certains objets ne peuvent nous commander, mais ils nous parlent. Les regarder, les toucher procure des émotions, déclenche des sensations, évoque des souvenirs, apporte du plaisir et des énergies positives, une joie émotionnelle très vive qui engendrent une vie joyeuse, heureuse et sans problème. Leur seule limite est de ne pas pouvoir nous parler ; mais ils nous donnent tant ! Deux ou trois choses dans notre vie peuvent cristalliser notre unité personnelle, symboliser l'amour de nos proches, ou l'amour, tout simplement, que l'on a pour soi. Ce type d'objets représente pour chacun de nous un support et une source de nourriture spirituelle incroyable. Norbert Elias, sociologue allemand, a montré comment l'idée d'un « soi autonome » était une représentation récente, dans l'histoire de l'humanité, de l'individu. Nos objets jouent le rôle de garde-fous pour nous sauver de notre moi multiple, fragmenté et instable. Il y a, explique-t-il, plus de différences à l'intérieur d'un même individu qu'entre deux personnes appartenant à une même culture. Et celui-ci ne parvient à s'unifier et à se stabiliser que grâce à ces objets du quotidien qui l'encadrent et lui apportent constance et stabilité. Ils cristallisent le concret et contrôlent ses errements identitaires. Si vous aviez, vous, à énumérer trois de vos propres garde-fous, quels seraient-ils ?

Le concept du *wabi sabi*

> *« La patine du temps n'est pas une nature morte.*
> *Ces objets sont pour moi des îles*
> *de repos où l'âme va, par instants,*
> *puiser quelques pensées cachées de sérénité. »*
> Fabienne VERDIER, *Passagère du silence*

Le *wabi sabi* est une esthétique raffinée élaborée autour de tout ce qui est usé, vieux, patiné, usagé. C'est l'amour de l'ancien et le rejet du clinquant, de l'ostentatoire, du côté « nouveau riche », de la virtuosité des fabricants s'évertuant à nous éloigner de tout ce qui est naturel et nécessaire intérieurement, à savoir la vie, et rien d'autre. C'est vers le xvᵉ siècle que les maîtres de thé japonais fondèrent ce mouvement visant à revenir à une pratique de cet art qui avait été trop influencée par la Chine et son faste.

Selon eux, les mots ne peuvent tout exprimer et, comme le zen, le wabi sabi n'est pas quelque chose qui se saisit par l'intellect. Ils voulaient revenir à un mode de vie détaché de la richesse, de l'argent qui apportent bien souvent ennuis, peurs et angoisse. Le wabi sabi, c'est choisir une pauvreté qui est l'absence de possessions inutiles au profit d'autres, qui sont, elles, riches de sens. C'est savoir apprécier ce qui est transitoire et flottant, se contenter de choses simples. C'est le contraire des produits en plastique dupliqués en série car l'original, par définition, ne peut être copié. Dépôts de rouille, vert-de-gris d'un vieux cuivre…, le wabi sabi en fait des artistes mettant en évidence le caractère temporel des choses et leur mutation constante. Il a fait du temps un maître qui accomplit une œuvre en déposant sa patine.

Les objets du *wabi sabi*

> « Le poids paisible des choses,
> le couvercle qui chantonne sur la bouilloire,
> le poème qui pend le long du mur,
> la vapeur qui embrume les laques lisses,
> l'eau qui tombe en murmurant sur le thé. »
> Werner LAMBERSY, *Maîtres et maisons de thé*

De nos jours, le wabi sabi rejette la culture de l'excès, le trop de graphismes sur les paquets de céréales, les boîtes de CD, les bricoles, les magazines, et les décorations bon marché. Le wabi sabi, ce sont les prémices de l'automne, un horizon rural de lignes estompées et déficientes, de champs labourés, d'oiseaux bruns en quête de nourriture dans les feuilles d'automne. C'est un fauteuil en bois fait à la main, un fauteuil simple, vrai, bien droit, sans fioritures, fonctionnel et pourtant plein de raffinement, un fauteuil portant une patine aux tons chauds et riches que le bois acquiert avec le temps, un fauteuil qui apporte du plaisir à chaque fois qu'on le regarde, qu'on le touche, qu'on s'y assoit. Une bobine de fil, une aiguille, une cuillère en bois, un pain de savon, un balai, un jean, un crayon de papier... ces objets intemporels ont été inventés il y a plus de cent ans. Et ce sont pourtant eux qui nous apportent le plus. Le wabi sabi, c'est la beauté de ces choses qui semblent ignorer le temps : des parquets et escaliers anciens, des cuirs, des céramiques, des pierres, des métaux patinés, des tapis élimés, des pierres recouvertes de mousse, des feuilles de papier jauni, une théière culottée, une poêle en fonte noir suie à force d'emplois répétés, une bougie blanche aux traînées coulantes. C'est tout ce qui porte la marque du temps, tout ce qui n'est pas mort dans l'uniformité. C'est l'unicité des objets, leur histoire.

Inutile de préciser que l'esthétique du wabi sabi exclut le trop ! Posséder trop d'objets wabi sabi serait contradictoire.

Certains objets, pour l'histoire qu'ils portent en eux (votre histoire), sont passionnants : ce sont ceux que vous avez le choix de garder. Les autres peuvent disparaître de votre univers. La richesse du wabi sabi suffit.

2

Prendre conscience des obstacles

La peur de perdre de l'argent

> *« Quand je mets quelque chose à la poubelle,*
> *j'ai l'impression de jeter un billet de banque. »*
>
> Propos populaires

L'une des raisons majeures qui retiennent la plupart des personnes de jeter est incontestablement le sentiment de perdre de l'argent. Ceux qui accumulent ont tendance à croire qu'ils ont de l'argent parce qu'ils possèdent des choses. Jeter revient pour eux à perdre de l'argent. Ils pensent que tout ce qu'ils ont est monnayable. Mais l'est-ce bien vraiment ? À moins de posséder des tableaux de Rembrandt ou une Royce Rolls, nos objets ont très peu de valeur marchande. Savez-vous ce que vaut votre buffet Henri IV et tout ce qu'il contient dans une salle des ventes ou une brocante ? Dès que vous avez payé un achat à la caisse d'un magasin et que vous l'avez retiré de son emballage, il a déjà perdu la moitié de sa valeur marchande. Il fait désormais partie des objets « d'occasion ». Nous imaginons souvent posséder une fortune, alors que la valeur marchande de nos possessions est très basse.

Ne pas jeter les objets par peur de perdre de l'argent est un mauvais calcul. Tout ce temps passé sur eux, vous pourriez le passer à des activités lucratives, si c'est de l'argent que vous désirez.

Vous pouvez cependant en retirer une petite somme en les revendant dans des vide-greniers, sur des sites Internet de courtage ou chez des brocanteurs. Les babioles inutiles des uns font le bonheur des autres !

Si vous vendez vos objets dans le but de mener une existence moins encombrée, et non pour l'argent que vous escomptez en tirer, vous vous désencombrerez plus facilement.

Si vous craignez de devenir un jour pauvre ou très vieux et dans la misère, ne gardez que quelques belles choses, durables, utiles et de qualité. Ne gardez aucun « second choix ». C'est justement si vous étiez pauvre ou démuni pour des raisons économiques, par exemple, que vous auriez besoin de ces choses pour ne pas vous sentir encore plus déprimé et, de surplus, encombré de médiocrité. Et puis, ne dit-on pas qu'une personne qui essaie de « manger de l'argent » est toujours affamée ?

La peur de l'insécurité financière

*« J'ai le sentiment que tout ce qui a de la valeur
et que l'on peut se procurer
pour moins que sa valeur ou gratuitement,
et qui pourrait servir un jour,
doit être apporté à la maison. »*

Propos populaires

La vie est un perpétuel changement, un éternel voyage. Et où que nous nous rendions, nous devons transporter des choses, que ce soit pour traverser sa ville, partir en vacances ou déménager. Taxis, consignes, déménageurs, tout notre fatras nous coûte bien plus cher que l'investissement initial ! Avec un petit bagage, vous pouvez prendre l'autobus, le métro. Avec une valise, il vous faut un taxi (sans compter l'attente, l'énervement…), une consigne, etc. Avec un petit appartement, vous pouvez le fermer à clé et partir tranquille. Pour une maison, il faut un gardien, une alarme, des assurances en conséquence, payer des impôts, faire réparer, entretenir…

Ce sont les possessions qui nous rendent angoissés et nous appauvrissent.

La peur de passer pour un pauvre

*« Nous n'étions pas pauvres.
Nous n'avions pas d'argent, tout simplement. »*

Bruce BARTON

Les gens ont besoin de reconnaissance à travers leurs possessions. La société nous fait tellement croire qu'il est normal de posséder et nous fait comprendre que plus nous avons, plus nous sommes importants. Mais les choses ne font qu'aider à sauver les apparences et ne sont là que pour nous donner une espèce de valeur. Pour d'autres, elles sont l'emblème de leur statut social. En général, ce que les gens veulent, c'est du respect, être admirés et approuvés. Ils ont besoin qu'on les prenne en compte pour se sentir sécurisés. Posséder leur donne l'illusion d'être riches.

La peur de perdre ce que l'on possède

> « *Il voyageait léger, et il n'y avait rien – excepté une amitié – qu'il ne soit pas prêt à laisser derrière lui... Aujourd'hui, plus que jamais, les hommes avaient à apprendre à vivre sans les choses. Les choses remplissaient les hommes de peur : plus ils en avaient, plus ils avaient à craindre. Les choses avaient une façon de se river sur l'âme et puis de dire à l'âme que faire.* »
>
> Le père Térence, prêtre catholique irlandais et ermite cistercien, extrait de *Journeys of Simplicity : Traveling Light,* Philip HARNDEN

Si nous avons peur de perdre ce que nous possédons déjà, nous alimentons des pensées qui finiront par se concrétiser. Il vaut beaucoup mieux alimenter l'idée que nous avons droit à tout ce qui existe, et qu'en y réfléchissant bien, nous baignons dans l'abondance : tout ce qui existe sur terre est à notre disposition. Nous pouvons pratiquement tout acheter comptant ou à crédit, emprunter, louer, échanger, marchander, demander. Toutes les possibilités s'offrent à nous pour que nous ne manquions de rien. Que les choses soient en notre possession ou non, elles restent à notre disposition. Nous vivons dans une abondance continuelle.

Si nous avons de quoi nous nourrir, nous vêtir, un lit pour dormir, des amis, la nature, le soleil… nous connaissons déjà l'abondance.

La pauvreté est plus un sentiment de manque qu'un manque d'argent

> « Souvenez-vous toujours que très peu est nécessaire pour mener une vie heureuse. »
> Marc Aurèle, *Pensées pour moi-même*

Posséder donne l'illusion d'être riche et le sentiment d'être reconnu dans une société qui valorise l'argent et le paraître. Mais plus on s'accroche aux choses et à la représentation que nous leur prêtons, moins l'on a, si ce n'est un sentiment de manque ! Certains ne veulent pas se départir de leurs possessions de peur qu'elles ne prennent de la valeur un jour, et donc de perdre de l'argent. D'autres s'accrochent aux choses comme ils s'accrochent à leurs millions, même s'ils n'en ont pas besoin, tout simplement par avarice, par besoin de thésauriser, ou bien encore, dans le but de revendre plus cher. Ceux-là sont les plus pauvres. Ce sont des esclaves. En ne s'accrochant à rien, on est riche du plus grand trésor qui soit : la liberté. À quoi sert l'argent ? À vivre confortablement, à assurer son futur et à savoir que l'on peut faire ce que l'on veut (voyages, études, séjours dans différents pays,

donations, quitter son emploi, voire son conjoint:…).
Le rôle de l'argent devrait être de nous faciliter l'accès
à d'autres formes de richesses, comme la liberté, par
exemple. Que vous restera-t-il à la fin de votre vie, si
ce n'est le souvenir de vos expériences ? Ce sont les
expériences qui nous font évoluer. Les possessions,
elles, ne font que nous faire stagner. Si vous ne vous
accrochez à rien, vous possédez tout, y compris la
paix. Le meilleur dans la vie, ce ne sont pas les
possessions.

Les gens en difficulté qui désespérément cherchent
à s'en « sortir » commencent souvent par le mauvais
bout : ils accumulent au lieu, au contraire, d'éliminer
ce à quoi ils s'accrochent.

La peur de regretter ensuite

> « L'expérience, c'est le nom que
> chacun donne à ses erreurs. »
> Proverbe yiddish

Agir n'est pas facile. Passer à l'acte à partir de ses
idées nécessite de l'énergie, du sacrifice, du courage,
du cœur, parce que agir, c'est prendre un risque. Mais
ne gaspillez pas vos émotions en remords anticipés.
Un seul « peut-être » vaut certainement cinquante
caissons de bric-à-brac. Acceptez de faire des erreurs
dans votre décision de vous désencombrer. Les personnes qui réussissent dans la vie sont généralement
celles qui prennent le plus de risques. Demandez-
vous : quel est le pire qui pourrait m'arriver si je jetais
cela ? Serait-ce terrible ? Faites une prédiction sur ce

qui pourrait vous arriver si vous jetiez un objet en particulier. Jetez-le et observez : ce que vous redoutiez de si terrible est-il arrivé ?

La peur de s'engager

> « *La raison pour laquelle nous n'avançons pas dans notre vie est due aux peurs qui nous paralysent, aux choses qui nous empêchent d'être tout ce que nous aurions aimé et dû être.* »
> Oprah WINFREY, animatrice de télévision américaine

Jeter est un acte irrémédiable, un acte qui oblige à choisir. Pour certains, cela signifie l'abandon de quelque chose. Ce choix, si minime soit-il, crée une anxiété paralysante. Ils ne peuvent s'engager, choisir un style de vie, un lieu autre que provisoire. Ils rêvent toujours de quelque chose d'autre, n'accrochent pas leurs tableaux aux murs, ne défont pas leurs cartons, n'ont pas de meubles pour ranger, ne savent pas où placer leur canapé. La responsabilité les terrifie.

Toutes ces personnes ne peuvent pas non plus se débarrasser de leurs possessions inutiles et gardent des cartons de vêtements, des casiers pleins de papiers et autres dont ils ne peuvent se séparer, même s'ils savent que ce ne sont que des bricoles sans valeur. Ils sont incapables de dire adieu à quoi que ce soit. Mais cela ne relève pas autant d'un attachement sentimental que d'un problème d'engagement. Pour eux, même jeter une vieille chemise peut générer une grande anxiété. Ils se disent : « Et si j'en avais besoin dans un an ? »

La peur de s'engager n'est pas une peur simple. C'est un ensemble complexe d'anxiétés, de soucis et de problèmes qui varient en composition et en intensité selon les personnes. Chacun a son propre « mélange » d'anxiétés mais, pour certains, jeter équivaut presque à une petite mort.

Alors, comment faire ? Tout d'abord, s'habituer à appeler sa maison « ma maison », déballer ses cartons, faire un gros tri et s'acheter de quoi « s'installer » au lieu de ne garder que du provisoire. S'engager ne signifie pas seulement dire oui, mais aussi non. C'est être capable de se demander pourquoi on s'accroche tant à ces choses, pourquoi on leur accorde une telle valeur. Des cent objets que l'on va jeter, il y en aura peut-être un ou deux que l'on regrettera. Mais on s'y habituera.

On a dans la tête qu'on ne peut pas changer son destin. Alors, on oublie qu'on a la liberté. La liberté de le changer, justement, ce destin !

La peur de l'insécurité psychologique

> *« Qu'il s'agisse de nourriture, d'habillement ou d'habitat, la simplicité dans les goûts est aussi une source d'indépendance et de sécurité. Plus vous vivez simplement, plus vous avez de sécurité pour le futur. Vous êtes moins à la merci des surprises et des revers de situation. »*
> Charles WAGNER, *La vie simple*

Vous vous enthousiasmez pour un gadget et, deux semaines plus tard, il est dans le placard. Vous en voulez un autre. C'est une roue constante d'inconfort : quelque chose en vous proteste, demande, quémande, veut toujours quelque chose d'autre. Vous vous sentez angoissé si vous n'achetez pas les dernières nouveautés. Vous avez l'impression de passer à côté du bonheur. La publicité fait tout pour nous enlever notre sens de la sécurité, nous faire croire qu'acheter va nous rendre plus heureux, plus beaux, plus aimés. Mais ce ne sont pas nos possessions qui nous apportent la sécurité. Au contraire, elles nous détournent de nous-mêmes. Certains de ceux qui manquent le plus de sécurité sont multimillionnaires. Le vrai sens de la sécurité vient du fait de savoir qui nous sommes vraiment. Le désir de posséder ne vient que de la partie en nous qui meurt d'envie de posséder. Notre instinct, en tant qu'êtres humains, est certainement d'accumuler. Mais notre âme, elle, sait que nous avons besoin de peu. Qu'est-ce qui vous fait vous sentir en sécurité ? Nous ne profitons en général que de 20 % de ce que nous possédons. Mais plus vous jetterez, plus vous vous sentirez lucide, plus vous découvrirez que sans ces choses que vous ne possédez plus, vous n'êtes pas moins heureux. Au contraire : avec très peu, vous pourrez remettre en cause toutes sortes de domaines de votre vie : « Pourquoi est-ce que je reste avec cette personne ? Dans cette ville ? Dans cet emploi ? » Vous pourrez alors aller n'importe où : votre demeure se trouvera là où vous vous sentirez heureux et libre. Les gens pensent que s'ils possèdent beaucoup de choses, ils ont la sécurité. Mais ces choses sont comme des clous qui les attachent au sol ; elles sont comme l'enclos d'une prison, pas une pâture ouverte dans laquelle gambader.

La peur du changement, de l'inconnu, d'un nouveau mode de vie

« Tout change en ce monde éphémère,
Plus vite qu'un battement d'ailes de libellule. »

Proverbe zen

Vous cachez-vous derrière vos possessions même si elles ne vous apportent plus rien, même si elles prennent de la place chez vous ? Essayez-vous de vous convaincre que ces choses peuvent encore servir un jour, même à quelqu'un d'autre ? C'est la peur du changement qui nous empêche, bien souvent, de jeter tout un fatras de choses inutiles. Une peur de l'avenir, une peur de l'inconnu, la peur aussi de voir le jour de sa propre mort se rapprocher. Jeter implique un changement, et dans le changement, c'est la mort des choses qui effraie, la disparition d'une partie de soi : la fin d'une relation, d'un emploi, d'une habitude, d'un rythme de vie ou d'une période à laquelle nous nous étions attaché. On s'accroche aux objets comme on s'accroche aux personnes, aux idées, à son éducation, à l'idée du bonheur. On a peur de l'inconnu, de l'insécurité.

Certaines personnes ont établi un relationnel intense avec leur environnement. Leur situation va donc de mal en pis si elles en changent. Elles « sentent » tellement qu'elles sont incapables de « penser ». Or raisonnement et sentiments sont incompatibles. Lorsque des objets prennent plus de prix que la vie d'une personne elle-même, c'est que les sentiments ont subordonné le rationnel. Une telle vie est donc douloureusement inconsciente.

Pourtant le changement est la seule constante de la vie. Tout ce qui stagne, croupit, durcit, se cristallise et finit par devenir poussière. Nous-mêmes changeons : notre chair, notre sang, nos os seront complètement différents dans quelques semaines, dans quelques années. Alors qu'enfant nous aimions les sucreries et détestions l'odeur de l'alcool, adultes, notre goût pour ces mêmes sucreries disparaît et nous buvons du vin avec le plus grand plaisir. L'agréable et le désagréable, le beau et le laid, le désirable et le répugnant, le bon et le mauvais se sont intervertis.

S'accrocher à quelque chose, c'est comme retenir son souffle. Et l'on finit par suffoquer. Puisque notre nature, nos goûts changent, laissons partir les choses qui ne nous correspondent plus. Rester accroché complique la vie. Accepter le changement (et l'étrangeté de la vie) étant comme naturel, lâcher prise avec ce qui ne peut être contrôlé est la seule façon de vivre en paix. C'est la seule façon de dissiper sa peur de l'avenir.

Le sentiment de sécurité est une composante importante du bonheur. Mais si nous acceptons le fait qu'il n'y a pas de sécurité parfaite, la menace d'insécurité aura moins de chances de ternir notre bonheur. On ne peut évoluer que dans l'inconnu.

Le changement est la danse de l'univers. Lorsque la raison de cette peur, de ce sentiment d'insécurité se fait jour, il est plus facile de jeter. Jeter, c'est amorcer des transformations en soi, c'est laisser la vie continuer à entrer en soi, c'est laisser cette forme de soi non déterminée se prolonger dans le futur et évoluer.

Un mot de sagesse ? « Cela aussi passera. »

La peur de se retrouver seul avec soi, de s'ennuyer sans les choses

« Aussitôt que le désir ou la souffrance permettent
à l'homme de se reposer,
l'ennui est à nouveau si proche qu'il a besoin
nécessairement de diversion.
Vivre, c'est ce qui occupe tous les êtres humains
et qui les maintient en motion.
Mais quand les moyens d'existence sont assurés,
alors ils ne savent plus que faire
de leur temps. Alors la seconde chose qui les fait se mettre en
motion est l'effort à se libérer du poids de l'existence,
à la faire cesser d'être ressentie, à "tuer le temps",
c'est-à-dire à échapper à l'ennui.
On voit que les personnes qui ne sont plus
dans le besoin, maintenant qu'elles se sont débarrassées
de tous leurs fardeaux, deviennent un fardeau
pour elles-mêmes et considèrent
comme un gain chaque heure qu'elles ont réussi à passer. »

Arthur SCHOPENHAUER

Beaucoup d'entre nous ne pensent qu'à une chose : « passer du bon temps ». Mais ils ne s'amusent pas autant qu'ils le pensent. Ils ont perdu toute leur originalité et ne font que copier des styles, des modes de vie sans réaliser qu'ils ont d'autres choix. Et ce, parce qu'ils ont perdu la conscience de leur identité. Nous avons tous besoin d'être nous-mêmes, de nous sentir vivants et pétillants. L'ennui n'est pas naturel. Les enfants s'ennuient rarement. Il n'est donc pas surprenant que beaucoup de personnes soient nostalgiques de leur enfance et de leur expérience du « ici et maintenant » qu'elles vivaient naturellement alors. Dans l'enfance, les désirs sont modestes, les choix clairs et limités. Mais plus ceux-ci augmentent, plus les difficultés et les problèmes augmentent aussi : les options, généralement peu nombreuses et cohérentes des jeunes années, font place à une cacophonie de valeurs, de croyances et de choix d'action disparates qui rendent le simple fait d'« être » difficile. Si un grand nombre de personnes ont tant besoin de plaisirs extérieurs, c'est qu'elles ont peur de la solitude, du vide intérieur, de l'ennui, du désespoir même. Tout, dans nos sociétés, fait en sorte que l'image du bonheur, d'une vie agréable et « remplie » soit liée au monde extérieur, aux possessions : être bien habillé, avoir une maison remplie, recevoir comme chez Maxim's, posséder une montre et une voiture rutilantes, une flopée d'amis… Nos pensées et nos sentiments sont réduits à des choses extérieures, à une réalité liée aux choses telles que la société de consommation nous les présente. Mais ce bourdonnement d'activités et de plaisirs dans lesquels nous nous projetons est une sorte de prison. Pourquoi tant de personnes prennent-elles des antidépresseurs, des calmants ou des somnifères ?

Nous ne possédons rien, en vérité, si ce n'est l'usage de notre corps, de nos sens et de notre esprit. Nous n'aurons jamais assez de toute une vie pour exploiter le potentiel illimité d'enchantement qu'il nous offre : la grâce du danseur, la souplesse de l'acrobate, le regard de l'artiste, la joie de l'athlète brisant son propre record, la subtilité du gourmet, la sensibilité du musicien… C'est souvent parce que nos sens sont sous-développés que la vie apparaît morne et triste.

Débarrassez-vous de tout ce qui ne contribue pas à vos besoins essentiels pour vous adonner à d'autres occupations. Posséder moins donne envie d'étendre cet « art de la réduction » à d'autres domaines de sa vie. Lorsque vous ressentez de l'ennui, que vous sentez l'énergie en vous diminuer, cela signifie que vous avez utilisé toute votre énergie là où vous vous trouvez. Pour retrouver votre fraîcheur, changez d'endroit, portez de nouvelles couleurs, agissez différemment, bougez, réanimez-vous. Par exemple faites votre propre pain, écoutez ou faites de la musique, lisez, méditez, déliez ou faites bouger votre corps (étirements, yoga, natation, danse), marchez dans la nature. La marche représente évidemment le summum de la simplicité. Bonne pour la santé, non polluante, elle permet d'aller lentement, de façon à apprécier toutes les richesses sensorielles que recèle la nature. La marche permet aussi d'explorer une ville et ceux qui l'habitent dans le détail, à un rythme humain. Le seul fait d'être sur une plage, dans une forêt, à la montagne guérit de la maladie de l'ennui, de vouloir plus. La beauté de la nature se suffit à elle seule. De plus, la nature est un grand maître, nous enseignant le silence, l'impermanence de toute chose, la beauté et les mystères de l'univers. Les endroits sauvages sont une nécessité spirituelle, un moyen de retrouver sérénité et équilibre.

Nous sommes psychologiquement enracinés dans notre passé en terres sauvages. Nous retrouvons nos racines au contact de la terre, de ses rythmes simples. Cela peut être une forme intéressante de méditation qui, de plus, ne coûte rien.

Vous pouvez décider sur-le-champ de changer. C'est la qualité de votre conscience, à cet instant même, qui détermine votre futur. Le grand maître zen Rinzai Gingen, afin que ses disciples ne cessent pas un instant

d'oublier cette vérité, levait souvent son doigt en disant :
« Si ce n'est pas maintenant, c'est quand ? » Il n'y a
jamais un seul moment pendant lequel votre vie n'est
pas « ce moment ». Vous désencombrer d'un maximum
de choses vous aidera à vaincre vos peurs et à découvrir
que le bonheur ne dépend pas de ce que vous possédez mais de ce que vous vivez. C'est la meilleure des
thérapies pour retrouver la joie et l'envie de vivre.

La peur du temps qui passe

« Le murmure de la rivière est le murmure
même du temps. Entre les berges de l'univers,
le fleuve du temps coule sans arrêt.
Pierres, maisons, humains, idées,
cultures… passent également. Seul l'être humain
se plaint de la nature transitoire des choses.
Voilà l'origine de la souffrance.
Ce n'est que dans ce continuel devenir,
dans cette constante transformation
que nous pouvons trouver la joie. »
Shundo AOYAMA, *Zen, graine de sagesse*

En gardant des objets du passé, vous cherchez à
figer le temps ou à recapter le passé. Mais ce à quoi
vous êtes attaché appartient à une époque révolue que
vous ne retrouverez jamais. Si vous voulez vraiment
garder des choses de ce passé révolu, alors que ce soit
des choses qui vous servent et dont vous profiterez
tous les jours : un fauteuil patiné, des cuillères en
argent, une lampe déco… Mais ne laissez pas vos
armoires remplies de choses que vous n'utiliserez plus
jamais.

Les regrets du passé ne sont que des impressions de maintenant. Les anxiétés du futur n'ont pas de réalité, sauf dans notre esprit, à ce moment précis. En d'autres mots, passé et futur se rejoignent ici et maintenant, en ce moment même où nous vivons.

Le don de recentrer son attention dans le moment présent s'accroît au fur et à mesure que nous nous y exerçons. Effectuer son propre nettoyage spirituel aide à faire resurgir à la surface les choses, et à briller à nouveau. On y voit alors immensément clair et on comprend avec plus de profondeur pourquoi on fait ce que l'on fait. Le but le plus élevé du désencombrement est par conséquent de se débarrasser des débris qui nous empêchent d'accéder à notre être suprême. S'accrocher aux choses qui nous attachent au passé est donc contre-productif.

C'est en vous détachant de la plupart de vos possessions maintenant que vous rappellerez à vous toutes les parties de votre esprit qui s'étaient attachées à ces choses et aux besoins émotionnels associés à elles. En vous en débarrassant, vous pourrez vous rapprocher du présent. Votre énergie, au lieu d'être dispersée dans mille directions, des directions sans valeur positive, deviendra plus centrée et concentrée. Spirituellement, vous vous sentirez plus complet et en paix avec vous-même. Et tout cela, en vous débarrassant de l'inutile. Étonnant, non ?

La peur de la mort

> « Il n'y a rien à trouver, même si je cherche.
> Il n'y a rien d'autre à faire,
> Si ce n'est me réchauffer à ma propre flamme.
> Il n'y a rien à faire,
> Si ce n'est brûler mon propre corps
> Et illuminer ainsi l'espace qui m'entoure. »
>
> Jukichi YAGI

Beaucoup de personnes gardent les choses pour qu'elles perpétuent leur vie après leur mort. Mais si vous vous posez trop de questions sur ce qu'il adviendra de vous après votre mort, c'est que votre vie actuelle ne vous satisfait pas. La vivez-vous justement ? Pleinement ?

Jeter est une forme de petite mort. Et les gens ont peur de la mort plus que tout. « Jamais plus » est souvent une expression terrible.

Pourquoi avons-nous peur de la mort ? Ce n'est certainement pas parce que cela fait souffrir ; vivre fait souffrir bien plus. Nous avons peur de mourir parce que nous ne sommes pas prêts. La mort nous apparaît comme notre ultime échec à atteindre l'inaccessible. Et si nous l'atteignions, quel serait cet inaccessible ? Le désirerions-nous toujours si nous savions ce qu'il est ?

La peur de faire un sacrilège en jetant les choses des défunts

> *« Quelle importance avaient désormais*
> *ces choses immobiles, ces objets étrangers,*
> *ces souvenirs sans partenaire ?*
> *Leur magie ancienne s'était éteinte,*
> *elle n'agissait plus. »*
>
> Lydia FLEM, *Comment j'ai vidé la maison de mes parents*

Une des tâches les plus lourdes émotionnellement est de se débarrasser des possessions de personnes défuntes aimées.

Toutes sortes d'émotions se bousculent alors en nous : accablement, angoisse, dépit, douleur... À vider leurs tiroirs, leurs armoires, à répandre leur linge, leur vaisselle, leurs papiers, les traces de leurs vies, on se sent comme un voleur, un pillard. Va-t-on être poursuivi par des fantômes justiciers qui vont nous demander des comptes ou envahir nos nuits de cauchemars ?

Lydia Flem explique que chacun garde intentionnellement ou par hasard, par paresse, par lassitude, des tas de paperasses. Et qu'hériter de possessions, c'est recevoir (à l'inverse d'un legs) des choses que l'on ne nous a pas données : on se retrouve alors possesseur malgré soi. Mais sommes-nous tenus, demande-t-elle, de devenir les archivistes de la vie d'une autre personne ? de faire de notre maison le musée de son passé ? S'il est sain de garder un lien puissant avec ses racines, ne deviennent-elles pas dangereuses lorsqu'elles débordent sur la vie des autres ? D'une génération à l'autre, si le rien pèse, le trop aussi. Sommes-nous contraints, par fidélité, de conserver ces infimes fragments de la vie des autres ? Y sommes-nous enchaînés ?

Vivre sa vie ou la posséder ?

> *« Rien n'est plus créateur que la mort*
> *puisqu'elle est le secret de la vie.*
> *Elle signifie que le passé doit être abandonné,*
> *que l'inconnu ne peut être évité,*
> *que « je » ne peut perdurer et*
> *que rien ne peut être finalement fixé.*
> *Quand un homme sait cela,*
> *il vit pour la première fois dans sa vie.*
> *En retenant sa respiration, il la perd.*
> *En la laissant aller, il la trouve. »*
> Alan WATTS, *Éloge de l'insécurité*

Les gens thésaurisent pour éviter la mort, alors qu'ils s'enlisent dans les possessions et ne vivent pas. Soyez préparé à tout instant à votre mort. Demandez-vous ce que ceux qui vous aiment feraient de vos choses si vous veniez à disparaître subitement. Si quelque chose leur plaît, donnez-le-leur maintenant. Réglez vos comptes le plus vite possible, ne laissez autour de vous que de la lumière et des souvenirs agréables. Expliquez exactement à vos proches ce que vous désireriez que vos possessions deviennent à votre mort. Et surtout, ne leur demandez pas d'en prendre soin. C'est de l'égoïsme pur.

Jeter : un acte existentiel

« Mes parents avaient conservé toutes les strates de leur vie,
tout ce qu'ils avaient pu sauver du néant : bouclier imaginaire
contre le vide qui demeurait en eux ? »
Lydia FLEM, *Comment j'ai vidé la maison de mes parents*

Les objets et les gestes personnels sont ceux de l'intimité. Intimité de trésors qui ne sont qu'à soi, intimité de l'identité : décider de se défaire de ses possessions est un acte existentiel, d'autant que plus les habitudes sont anciennes, plus la pensée et les sensations doivent intervenir pour opérer des choix, plus une « conscience lucide » se fait nécessaire.

Des philosophes aussi anciens que Platon et Aristote avaient déjà réfléchi sur le désir apparemment inné de l'homme à posséder, faire sien, dominer le monde matériel. Mais ils n'imaginaient pas à quel degré notre « encombrement » matériel empirerait.

Jeter oblige à s'interroger sur sa vie, à ne pas rester « scotché » au domaine du matériel qui, tôt ou tard, nous déçoit et ne nous prépare en aucun cas aux aléas et pertes inévitables que nous aurons à affronter. Jeter demande un regard sur soi que l'on ne veut pas forcément avoir. Jeter n'est pas facile. Pour personne. On a peur ! Peur de se retrouver seul avec soi, face à son propre vide. Sans plus posséder de choses à soigner, on est amené à se poser des questions qui peuvent être très angoissantes : qu'est-ce que je veux faire de ma vie ? pour qui ? pour quoi ? qu'est-ce qui me rend parfaitement heureux ? Maintenant que j'ai tout ce dont j'ai besoin, c'est-à-dire presque rien, que vais-je faire de cette liberté ?

Quête d'absolu, certes, mais qui n'en rêve pas ?...
Qui ne rêve pas d'avoir ce trésor le plus précieux, un
trésor que peu de personnes ont, et qui, pourtant, est
accessible à tous ? La vie des personnes vivant par
choix dans le plus grand ascétisme fascine autant que
celle des milliardaires : cela, parce que ni l'une ni
l'autre ne semblent accessibles.

Satisfaire les besoins matériels pour vivre simplement
n'est qu'une précondition. Il faut ensuite se créer une
vie riche au sens qui n'est pas matériel. Et c'est cela
qui fait peur : les gens n'ont pas confiance en eux. Ils
ont peur de souffrir (du vide, de la non-reconnaissance,
de l'ennui, de la solitude, de la peur de l'inconnu...),
d'avoir à faire face à la patience et à la douleur
qu'engendre la vie pour celui qui ne s'est jamais
entraîné à l'art d'endurer la souffrance, l'ennui, la
routine, le manque de distractions, les changements
inévitables de la vie.

Jeter est difficile, car cela renvoie à des problèmes
personnels en ce qui concerne la vie : la douleur
d'avoir à prendre des décisions immédiates irréversibles.
Jeter force à prendre la responsabilité de son existence :
accepter le fait que c'est notre propre conscience qui
forge notre force de rester équilibré, quelles que soient
les circonstances.

Qu'est-ce qu'une vie finalement ? Que restera-t-il
de nous dans quelques années ? Si jeter fait si peur,
c'est que cela équivaut presque à refaire sa vie. Jeter
ne se fait pas sans douleur. Jeter est un acte qui nous
force à affronter notre irrationalité, des tendances en
nous archaïques et superstitieuses qui nous effraient.
Jeter est difficile car plus nous nous rapprochons de
notre univers personnel, plus nous prenons peur. Nous

proclamons la liberté, mais quand celle-ci nous est offerte, qu'en faisons-nous ?

Jeter revient presque à « jeter » sa propre vie, sinon à lui chercher un sens. Jeter est bel et bien un acte existentiel. Mais il y a tout autant de douleurs non identifiées dans le fait d'accumuler les choses.

QUAND STOCKER À OUTRANCE DEVIENT UN PROBLÈME

Pourquoi certaines personnes stockent à outrance

Ne pouvoir se défaire de possessions inutiles et posséder à outrance peut être le signe, à différents degrés, de problèmes psychologiques divers. Voici quelques cas de personnes conscientes de leurs problèmes et qui demandent à se faire aider.

Le fait de prendre conscience d'un problème est le premier pas vers une amélioration, et c'est pour cela que je pense utile de réserver une partie de cet ouvrage à ces personnes.

Ceux qui ont eu une enfance sans domicile fixe

> *« Lorsque j'étais enfant, nous vivions*
> *pratiquement toujours à l'hôtel,*
> *et tout ce que je possédais était dans un sac de plage. »*
>
> Une malade de l'encombrement

Jouets, chambre, amis… Certaines personnes à l'enfance tourmentée, en errance (adoption, internat, parents vivant constamment sur les routes, transfert d'un foyer à un autre pour cause de divorce des parents, abandon, etc.) ont le sentiment de ne pas avoir eu de jeunesse. Les objets et la stabilité qu'ils représentent leur donnent le sentiment de se réapproprier une part du bonheur qui leur a tant manqué, enfants.

Ceux qui ont eu une vie malheureuse et qui s'accrochent à des parcelles de bonheur

> *« Ce pyjama m'a été offert par Marie,*
> *la mère d'un ex, il y a quinze ans.*
> *Il représente Marie ; même si je ne l'ai jamais mis,*
> *il peut servir à quelqu'un.*
> *Ce pyjama, c'est Marie. »*
>
> Une amie

Parfois les choses représentent la personne qui les a données. Elles compensent une grosse perte affective et font alors l'effet d'un médicament.

Ceux qui ont été abandonnés

« Mes choses, elles, ne me quitteront pas, à moins que moi, je ne le décide ; elles ne sortiront pas de ma vie en claquant la porte, comme l'ont fait certaines personnes. » Tel est le raisonnement de ceux qui ont souffert d'abandon ou de trahison alors qu'ils étaient vulnérables et mal-aimés.

Les enfants de parents abusifs

> *« Quand j'étais petite, ma mère revendait mes jouets*
> *pendant que j'étais à l'école.*
> *Elle disait que j'étais trop grande pour jouer avec.*
> *Elle a jeté tous mes livres d'école, toutes mes choses.*
> *Il ne me reste plus rien de mon enfance.*
> *Maintenant, je collectionne tout. Je ne peux m'empêcher de*
> *rentrer dans un magasin de brocante pour voir s'il y aurait*
> *quelque chose qui peut compléter mes collections. Mais ce*
> *besoin dévorant m'empoisonne l'existence.*
> *Est-ce que quelqu'un pourrait m'aider ? »*
> Une malade anonyme, blog Internet

Les parents ne devraient jamais priver leurs enfants de leurs objets et respecter ce qui leur appartient. Leur apprendre à ranger et à prendre soin de leurs jouets, de leurs vêtements, est la meilleure attitude à avoir s'ils ne veulent pas que ceux-ci deviennent un jour des malades de l'encombrement.

Ceux qui ont subi des sévices dans leur enfance

« Lorsque j'étais petite, on a abusé de moi sexuellement.
Maintenant, lorsqu'on touche à mes objets,
je le ressens comme une sorte de viol. Petite, je ne pouvais pas
avoir le contrôle des choses, maintenant si.
Je ne me sens plus comme une victime sans défense. »
Une victime de l'encombrement, blog Internet

Les objets, nos objets, ne peuvent nous blesser. Ils sont toujours là pour nous, ils nous protègent. Ils sont notre bouclier, notre sécurité, une protection, expliquent les personnes à l'enfance traumatisée.

Certaines personnes accumulent des tonnes d'objets autour d'elles pour se créer une couche de protection, une sorte de couverture entre elles et le reste du monde. Quand elles s'entourent de choses, elles sont moins accessibles. Elles pensent que si on leur rend visite, on portera son intérêt sur les objets plutôt que sur elles, et qu'elles pourront ainsi se cacher derrière leur fourbi. Elles ont peur de s'ouvrir, d'inviter les gens chez elles, par exemple. Une de ces personnes me disait que s'occuper de ses biens lui permettait de se dispenser de ses obligations sociales. Elle reconnaissait se sentir légère et libre après s'en être débarrassée, mais pour un moment seulement : vite, la peur d'être « exposée » la reprenait et elle recommençait alors à accumuler pour se protéger.

Les enfants de parents irresponsables, drogués

Les enfants de parents irresponsables, alcooliques, drogués, ont eux aussi tendance à accumuler. La survie, ont-ils appris, dépend du fait d'être préparé. Préparé à quoi ? leur demande-t-on. À tout, répondent-ils.

Les enfants qui n'ont pas été désirés

Une de ces personnes explique comment le fait de n'avoir pas été désirée affecte maintenant, à l'âge adulte, son comportement. « J'attribue une personnalité et des sentiments aux objets inanimés. Quand je vois une chemise avec un bouton manquant, bradée, je suis triste pour elle. Personne ne veut d'elle, elle ne servira à personne. Alors je l'achète. Comme ces gens qui adoptent ou recueillent les animaux (j'ai aussi six chats). Je me sens parfois coupable d'avoir abandonné ou rejeté un objet, de ne pas lui avoir offert l'occasion d'être utile et utilisé pour ce à quoi il était destiné. J'ai été élevée seule et abandonnée de multiples façons. » À travers les choses, elle essaie seulement de « sauver » l'enfant qu'elle était en projetant un sentiment de manque sur les choses que les autres considèrent comme imparfaites et non désirées.

Ceux qui manquent d'amour ou qui viennent de subir un deuil

Les objets remplacent des personnes disparues dont ceux qui leur survivent aimeraient encore prendre soin. Ces objets les réconfortent, les « caressent » dans leur solitude, leur manque d'amour. L'une d'entre elles rapporte que tout ce que son mari a laissé à sa mort est infiniment précieux pour elle : « Ce que nous avons acheté ensemble, ce que nous nous sommes offert… cela me semble inconvenant de donner ou jeter ce que mon mari aimait. Rien n'est jamais tout à fait perdu. »

Bien en sécurité, sous clé, protégés, ces objets remplacent un peu la personne partie. Elle est alors encore un peu près de soi. Tels un vieil air de musique ou la madeleine de Proust, ils rappellent des souvenirs.

Les gens victimes de problèmes héréditaires

« Ma mère me disait toujours que gaspiller était un péché.
Je garde tous les pots de margarine en plastique
après les avoir lavés,
les pots de fromage blanc, me disant
qu'ils pourraient servir à quelqu'un
pour planter des graines par exemple.
Je garde aussi les flacons de médicaments,
les articles de journaux
(certaines informations peuvent être utiles),
mes vieux vêtements (je pourrais les porter à nouveau un jour).
Telle mère, telle fille ! »
Anonyme, blog Internet

Problème héréditaire : dans certaines familles on se transmet les biens et la manie de l'accumulation de génération en génération.

La peur de passer pour un gaspilleur

> *« J'ai honte de mettre les choses à la poubelle.*
> *Honte de jeter des choses*
> *que j'ai achetées et dont je ne me sers pas.*
> *Je vais jeter les poubelles la nuit,*
> *à trois heures du matin, quand tout le monde dort. »*
> Anonyme, blog Internet

De telles personnes ont peur que les autres pensent qu'elles gaspillent en jetant. Elles ont aussi peur d'encombrer la planète avec leurs détritus et ont le plus grand désir d'aider les autres, de recycler, de vivre dans des sacs, encore des sacs. Elles se sentent coupables de jeter ce dont les autres ne veulent pas.

La peur d'être associé à ce qui se trouve dans ses poubelles

> *« J'ai peur que le sac se déchire.*
> *Je serais associé avec tout ce qui s'y trouve. »*
> Anonyme, blog Internet

Certains ne veulent pas laisser de traces derrière eux, dans la poubelle, comme des enveloppes portant leur nom par exemple. Cela me rappelle une exposition au musée de la Photo de Paris, où était exposé le contenu des poubelles de certaines célébrités d'Hollywood. On pouvait voir les déchets de boissons protéinées de Madonna, les paquets de cigarettes vides de Jack Nicholson...

Le besoin de protéger les autres ou de leur donner quelque chose

Certains aînés de familles nombreuses qui ont été responsables des plus jeunes veulent rester capables de leur apporter, à quelque moment que ce soit de leur existence, ce dont ils ont besoin. Ils se sentent obligés, pour se sentir vivre eux-mêmes, de protéger les autres, de se sentir utiles. S'occuper des autres est en quelque sorte leur travail. Mais ils ne réalisent pas que leurs petits protégés sont devenus grands et... autonomes.

Garder les choses pour d'autres, afin de les donner à ceux qui en ont besoin, les aide à se sentir bien. Mais leur problème est qu'ils achètent à outrance dans la crainte de ne plus pouvoir le faire plus tard.

Ceux qui ont peur de penser à ce qu'ils sont vraiment

« Tout organiser et résoudre m'obligerait à faire face à la vie. Penser à qui je suis vraiment, à ce que je fais vraiment m'angoisse », m'explique une connaissance. L'accumulation d'objets autour de soi dont il faut s'occuper occulte l'angoisse d'avoir à faire face à sa propre vie. De telles personnes gardent alors même les plus petites choses. Le fouillis est pour elles une seconde peau qui les protège, une sorte de repère quand elles ne savent pas comment leur vie va se dérouler. Elles ont peur de découvrir que même si leur problème de fouillis est résolu, elles ne pourront pas apporter d'amélioration à leur vie. Elles préfèrent ne pas changer pour ne pas savoir.

Ceux qui ont peur des guerres, des catastrophes

« Nous sommes tous influencés par ce que l'on nous a appris à l'école dans notre petite enfance : que le pays pourrait être attaqué et qu'il faudrait alors avoir de quoi subsister chez soi. On imagine ce que l'on ferait s'il n'y avait plus de magasins. On nous a toujours enseigné qu'il fallait être préparé. »

Malheureusement, ces avertissements ont laissé une trace indélébile dans l'esprit de personnes angoissées qui ne peuvent supporter l'idée de telles situations et qui se préparent tant matériellement que cela en devient maladif.

Ceux qui ont peur du vide intérieur

*« Une pièce vide représente le moi,
et donc elle a besoin d'être remplie
de choses. Je me sens alors rassuré.
J'ai l'impression que si je me séparais
de toutes ces piles d'objets qui remplissent
la maison et le garage, je mourrais. »*
Anonyme, blog Internet

Désir de retourner dans le ventre de sa mère ? Vivre dans un cocon (remplir tous les espaces autour de soi) parce qu'on a peur du vide ? Ces personnes admirent, envient les endroits dégagés, mais elles ne peuvent s'empêcher de créer autour d'elles une enveloppe, une protection.

PEUR DE LA MORT

Ceux qui veulent laisser un souvenir d'eux à leur postérité

Il est naturel de vouloir léguer une partie de soi à sa postérité. Mais il existe des personnes qui, ne possédant aucune trace de leur propre passé (parents séparés, orphelins…), aimeraient que leurs enfants aient ce dont ils ont tant manqué. Ils gardent alors tout ce qu'ils peuvent pour leurs propres enfants, mais cela parfois à outrance (photos, souvenirs, meubles, vaisselle…).

Certaines personnes âgées

On observe une tendance marquée du besoin de posséder particulièrement chez les personnes vieillissantes : elles cherchent à se prouver par là que, à leurs propres yeux, elles existent. En accumulant les choses, ces personnes ont le sentiment d'avoir le contrôle sur au moins une partie de leur vie, alors qu'elles n'en ont plus que très peu sur le reste. Certains parents aiment par exemple garder les objets de leurs enfants partis vivre ailleurs. Garder de la nourriture, c'est aussi comme espérer que celle-ci les attirera et qu'ils reviendront pour la manger.

Tant que ces personnes sont capables de subvenir elles-mêmes à leurs propres besoins, les laisser vivre comme elles le souhaitent est peut-être les maintenir en vie. Mais lorsqu'elles ont besoin de l'aide de tiers, c'est à elles de faire des concessions. Ce n'est plus à elles d'imposer, par leur égoïsme et leur autoritarisme, le poids de leurs possessions à ceux qui ont la générosité de les prendre en charge et dont l'existence devient empoisonnée pendant de longues années.

Les personnes souffrant de dépression

Un de mes amis vivant dans le plus grand des fouillis souffre de dépression. Pour lui, la vie est une « encyclopédie de problèmes ». Travail, gestion de ses biens immobiliers, problèmes de syndic et de copropriété, foule de questions administratives, légales, pratiques à régler, problèmes d'informatique… le monde est ingérable. La dépression lui vole toute énergie, toute envie de faire quoi que ce soit, et il ne peut supporter la vie que grâce à l'alcool et à tout ce qui se fume. Il ne souhaite qu'une chose : fuir. Il laisse donc tout à l'abandon et n'a pas l'énergie de prendre des décisions, quelles qu'elles soient, y compris celle de se débarrasser de ce qui ne lui sert plus. Il remet tout à plus tard, craignant de faire de mauvais choix qu'il regretterait plus tard. Ainsi les piles de journaux, les bocaux vides, les mails auxquels il n'a pas répondu s'accumulent tant, qu'il finit par tout laisser tomber, même ses amis !

Les animaux et le hoarding

To hoard est un terme anglais utilisé pour les animaux qui font leurs réserves pour l'hiver. Un des champions du *hoarding* serait le geai gris de l'Arctique qui emmagasine près de cent mille becquées de nourriture pour les longs hivers sombres (baies, insectes, araignées…), rapporte Tom Waite, biologiste de l'université de Colombus, Ohio. Certains animaux, comme l'ours noir d'Eurasie, construisent aussi un abri avant la saison des amours. Ceux qui ont les piles les plus hautes sont ceux, paraît-il, qui ont le plus de chances de trouver une femelle. Mais les seuls à amasser à outrance sans réelle nécessité sont les humains !

Le hoarding ou syndrome de Diogène

Le hoarding (on n'a pas encore trouvé d'autre mot pour cette véritable maladie mentale, si ce n'est, paradoxalement, le « syndrome de Diogène ») est une maladie encore inconnue de la plupart d'entre nous et même des médecins. Ses victimes ont développé la manie de stocker chez eux des milliers d'objets. Un professeur de psychologie de Smith College (Northampton, Massachusetts) a entamé des recherches : il estime que 2 à 3 % de la population souffre de ce problème. Il donne une définition (étude de Frost et Gross, 1993) :

• Acquisition et échec à se défaire d'un grand nombre de possessions ou d'informations qui semblent inutiles ou sans valeur. L'espace vital est si encombré qu'il ne peut plus être utilisé pour sa fonction d'origine ; certains d'entre eux ne peuvent même plus utiliser leur lit, leur table ou certaines pièces de leur maison. Ils ne peuvent inviter leurs amis, ne retrouvent pas leurs factures à payer, ne sont pas assez organisés pour conserver un travail… Au bout d'un certain temps, ils ne se souviennent même plus de ce qu'ils possèdent. Une femme qui collectionnait les articles sur les voyages avait trouvé un article sur un voyage couvrant plusieurs pays. Alors elle avait fait plusieurs photocopies pour en mettre une dans chacun de ses classeurs divisés par pays.

• Important degré de détresse, dépression et achats compulsifs.

• Collection de choses gratuites.

• Conservation de toutes les possessions, même les plus inutiles, sans jamais rien jeter.

• Manque d'entretien et d'organisation de ces choses.

• Excuses communes à tous les *hoarders* : valeur sentimentale, attachement émotionnel à des choses qui rappellent une période importante de leur vie, peur de perdre de l'argent (leurs choses peuvent prendre de la valeur un jour), valeur utilitaire, valeur esthétique (l'objet étant considéré beau ou attirant).

• Toutes leurs possessions sont considérées comme des trésors que les membres de la famille ne doivent pas toucher.

• Leur éducation est souvent excellente, et leur niveau de créativité plus élevé que la moyenne.

• Leur conversation est souvent chargée (au lieu de répondre simplement à une question, elles donnent mille détails).

• Leur capacité à se concentrer ainsi qu'à prendre des décisions est faible.

• Comme les joueurs d'argent, ils ne considèrent pas leur comportement comme une maladie.

Il est difficile de bien connaître ce phénomène, expliquent les chercheurs, car ces personnes sont souvent très secrètes sur leurs habitudes. Ce qui les pousse en général à amasser est un désir très basique qui aurait son origine dans des parties subcorticales et limbiques du cerveau. Mais cela ne s'arrête pas là. Nous utilisons le cortex préfrontal (une région du cerveau qui traite des décisions à prendre, des informations et de leur organisation) afin de déterminer la quantité de « réserves » dont nous avons besoin pour notre survie. Le désir naturel de s'adapter à leur environnement serait donc, chez ces personnes, déréglé (elles auraient une activité ralentie d'une partie du cerveau).

Depuis le début des recherches, on a constaté que certaines personnes devenaient atteintes de hoarding à la suite d'une lésion de la région frontale du cerveau, occasionnée parfois par une congestion cérébrale ou un choc du cortex préfrontal. Dans la plupart des cas, cependant, le hoarding est provoqué par l'anxiété. Une émission télévisée japonaise (il y a un nombre important de ces personnes dans ce pays) donnait une version différente : les personnes victimes de l'encombrement auraient perdu toute notion d'espace vital (de même qu'il existe des personnes n'ayant aucune notion de l'ordre ou de la propreté), et seraient incapables de faire la liaison entre une vie « viable » et un espace vital suffisant. D'où l'obstruction, par exemple, d'espaces apportant la lumière (fenêtres) ou de facilité de mouvement (entrée de la maison).

L'histoire de Patrice Moore

> « J'ai acheté une deuxième maison,
> à 3 000 kilomètres de la première,
> pour vivre libre et loin de mes choses.
> Je pourrai toujours retourner les voir
> si j'en ai envie. Ici, je me promets de ne garder
> qu'une étagère de livres,
> peut-être deux. Et mon ordinateur.
> C'est tout ce dont j'ai besoin.
> Ma deuxième maison est petite. »
> Un malade de hoarding anonyme, blog Internet

Patrice Moore recevait des tonnes de courrier – magazines, journaux, livres, catalogues, sollicitations diverses… – et, chaque jour, ce reclus de quarante-trois ans les entassait en piles qui finirent par atteindre les plafonds et obstruer les fenêtres de son appartement new-yorkais. Un beau jour, tout est tombé sur lui et il fut littéralement enterré vivant, debout. Il resta ainsi deux jours, seul, jusqu'à ce que des voisins entendent ses gémissements. Le propriétaire cassa la porte et il fallut aux pompiers une heure pour dégager Moore et l'emmener à l'hôpital. Le journal ajoute que Moore a eu plus de chance que Homer et Langley Collyer, deux frères hoarders qui, pendant quarante ans, avaient rempli à ras bord leur appartement de Harlem de piles de débris : journaux, vieux arbres de Noël, une douzaine de pianos et même une automobile démantelée ! Le 21 mars 1947, on trouva Homer mort de faim. Il fallut dix-huit jours aux employés de la ville pour découvrir Langley, écrasé sous des objets.

Richard, menacé d'expulsion de son appartement

« J'aimerais m'en sortir, mais il faut me donner les bons outils ! L'inspectrice de la ville est venue et a dit qu'il faudrait mettre tout ça dans une benne. C'est efficace sur le moment, mais pas à long terme. »
Richard, souffrant du syndrome de Diogène

Richard ramasse même les sacs-poubelle de ses voisins dans les bennes. Cet entasseur pathologique tente depuis six mois de faire le ménage dans son appartement, mais n'y parvient pas. Papiers, journaux, cartons et bouteilles encombrent son logis. Richard ne veut même plus sortir de chez lui, de crainte de ramener à la maison tout ce qui lui tombe sous la main. Son propriétaire menace maintenant de l'expulser.

Atteint du syndrome de Diogène, il demande de l'aide pour vaincre sa maladie. Certaines des personnes que nous voyons traîner leurs bagages dans la rue ont eu la même expérience ; elles vivent un enfer. Pourtant, personne ne les soigne.

Comment gérer un conjoint victime de l'encombrement

« Je vis avec un malade de l'encombrement.
Cela a gâché quarante-cinq ans
de ma vie. La maison n'est pas accueillante. Que d'égoïsme !
Pour lui cela signifie : "C'est moi qui contrôle, personne ne peut
me faire faire ce que je ne veux pas faire." »
L'épouse d'un malade de l'encombrement

Ce sujet est à ce point important qu'il mériterait d'être développé dans un livre à part. Beaucoup de personnes partageant la vie de hoarders subissent parfois un véritable calvaire, se voyant obligées de passer toute leur existence dans le désordre et la saleté : leur vie est gâchée. Elles tombent malades physiquement (ulcères, prise de poids excessive, crises de larmes, menaces de divorce…) et, après parfois une ou deux décennies de patience et d'espoirs d'amélioration, elles se voient obligées de prendre une décision irrémédiable. D'autant plus que, plus les années passent, plus l'encombrement empire, plus leur conjoint devient indifférent à toute menace, s'enfermant de plus en plus dans son propre monde. Les disputes au sein du couple ayant éclaté à maintes occasions (sans qu'aucune solution ne contente les deux conjoints), leur partenaire est devenu hypersensible et se bloque complètement, refusant tout dialogue. C'est donc toujours à elles d'entreprendre une action pour que le couple se sépare. Mais elles se retrouvent alors souvent seules à un âge où il est difficile de trouver un nouveau partenaire.

Maladie mentale ? Égoïsme extrême ? Inconscience ? Incapacité à partager les sentiments de l'autre ? Rares sont les hoarders faisant des concessions à l'autre, même s'ils prétendent l'aimer. Pourquoi ? Ils savent qu'ils le font souffrir (sachant que l'autre a besoin de vivre dans un endroit net et spacieux), mais ils ne changent rien. L'autre se sent non pas ignoré mais mal aimé. Le problème majeur est que ces hoarders ne se considèrent pas comme des malades et ne comprennent pas que les autres souffrent de leur désordre.

La solution idéale serait que chacun se réserve individuellement une partie de la maison (bonne exposition, égale en superficie à la surface de l'autre…), et que les parties communes (la chambre, le salon, l'entrée, les couloirs…) soient meublées et décorées d'un commun accord (mais là réside un problème connu de beaucoup de couples : que faire lorsque l'on n'a pas les mêmes goûts ?), ou qu'ils vivent dans des duplex ou des appartements attenants mais indépendants. Mais cela n'est pas dans les possibilités financières de tous, et, de toute façon, celui qui ne se sent pas respecté finit par se détacher définitivement.

Une autre solution plus douce serait de se garder une pièce à soi, vide et sereine, dans l'appartement afin de donner envie à l'autre d'en faire autant dans son propre espace. Rien ne coûte de faire l'essai… Faire expliquer la gravité de la situation par une personne « neutre » émotionnellement et amie du couple à celui qui accumule est, malheureusement, bien souvent une tentative vaine.

Étant personnellement proche de plusieurs de ces couples, et cela depuis des années, je suis sceptique sur une éventuelle « guérison ».

Tant que la médecine ne prendra pas ce problème au sérieux en tentant, si ces malades le désirent bien sûr, de les soigner, bien peu de solutions seront possibles, si ce n'est de cesser la cohabitation pour véritablement se protéger à tous les niveaux.

Je voudrais surtout mettre en garde les jeunes couples qui songent à emménager ensemble, si l'un est du type encombrement et désordre et l'autre « zen ». Qu'ils ne sous-estiment pas le problème, surtout si leur relation est très sérieuse et leur amour apparemment à toute épreuve.

Quant aux couples dans lesquels l'un des deux commence, un beau jour, à accumuler, que l'autre réagisse aussi tôt que possible sans attendre que la situation change. Rappelons-le, le « syndrome de Diogène » est une véritable maladie mentale, et c'est à chacun de décider des limites qu'il peut ou veut s'autoriser à accepter, au risque, je le répète, de gâcher sa vie et de mettre sa santé en péril.

Une de mes amies vient enfin, après vingt-cinq ans de mariage, crises conjugales et conséquences physiques et émotionnelles (embonpoint, angoisse de ne pas retrouver l'amour à son âge, sentiment de culpabilité d'abandonner son mari qui, craint-elle, a besoin d'elle…), de se décider à prendre un appartement à elle. Une autre, qui a plus de soixante-dix ans, me téléphone périodiquement en pleurs, suite à une énième dispute avec son mari (charmant d'ailleurs), qui envahit la maison d'un bric-à-brac indescriptible (y compris ce qu'il trouve dans les poubelles !). Elle dit ne pouvoir le quitter et redouter une vieillesse seule. Je lui répète sans cesse qu'elle redoute la solitude mais que la vie à deux la « tue à petit feu » (lors de chaque dispute, elle a de fortes palpitations cardiaques qui l'ont parfois obligée à appeler une ambulance…) et que, de toute façon, si elle devenait veuve, elle serait bien obligée de se faire à sa solitude.

Se débarrasser de tout serait aussi une maladie ?

Est-ce que tout vouloir jeter serait aussi une pathologie, la peur, par exemple, d'être poursuivi par le passé, par les traces ? Chaque personne est différente, a ses propres angoisses, sa propre philosophie. Et tout dépend de ses raisons de jeter. Mais, à moins que cela ne sombre dans le trouble obsessionnel, tels le nettoyage ou la crainte d'avoir oublié de fermer le gaz comme chez les personnes atteintes de troubles obsessionnels compulsifs (TOC), ne pas vouloir posséder plus que le strict nécessaire après avoir évolué n'a rien d'une maladie psychologique. Tous les grands mystiques comme Gandhi, Jésus, Dôgen, des écrivains comme Kerouac, Gary Snyder, Kamo no Chomei, Raymond Carver étaient loin « d'être TOC » !

Modèles rares de société

> *« Il semble que parfois l'obsession*
> *de posséder quelque chose aveugle*
> *une personne quant à la valeur véritable de cet objet. Quand*
> *l'obsession est absente, cependant, plus de temps et d'énergie*
> *peuvent être dirigés vers la découverte*
> *et l'appréciation de la signification profonde de cette chose.*
> *Moi je ne veux pas un grenier rempli*
> *de possessions qui s'attachent à moi.*
> *Je veux plutôt la mobilité d'être capable d'explorer*
> *toutes les choses, la mobilité qu'un placard plein*
> *de chaussures et la collection complète*
> *des œuvres de Shakespeare*
> *reliée en cuir ne peuvent pas donner. »*

Linda KONNER

À chaque fois que je rencontre des personnes ne possédant que très peu et qui semblent si heureuses, si épanouies, si « présentes » dans tout ce qu'elles font, je ne peux m'empêcher de les comparer à ceux qui restent confinés dans leur petit monde matériel, se lamentant constamment du coût de la vie, du bruit que font les voisins, de leur santé ou de relations conflictuelles avec leurs proches.

Nous avons reçu tant de fausses idées du bonheur, comme celle qu'une vie sans enfant est triste, qu'une vie de célibataire est ratée, qu'une vie sans carrière professionnelle établie est déshonorante… ! Quand je vois ces bonzes et ces bonzesses japonais à l'air radieux, à l'énergie incroyable (même à des âges très avancés), je me dis qu'il y a mille autres façons de vivre que celles que la société met en avant. Pourquoi ne pas créer des clubs de veuves et de veufs joyeux ? Pourquoi ne pas passer ses vacances comme ce couple anglais qui me fascinait, et qui, chaque année, venait en France dans sa petite décapotable, une tente ficelée sur le porte-bagages, visiter une région afin d'en déguster les vins et les fromages ? Sans le savoir, de telles personnes transmettent le bonheur de vivre à ceux qui croisent leur chemin. Et c'est cela, se sentir privés de ne pas – ou presque – posséder de biens matériels.

L'histoire de grand-mère Emma Gatewood (1888-1973)

Le merveilleux ouvrage de Philip Harndern *Journeys of Simplicity : Traveling Light*, compilation des listes d'objets de personnes possédant très peu, rapporte l'exemple de « grand-mère » Emma, extraordinaire marcheuse américaine. Emma a fait une randonnée de 3 000 kilomètres dans les Appalaches à l'âge de soixante ans. Toujours seule. Elle n'emportait jamais avec elle de sac de couchage, tente, sac à dos, cartes ou bottes de randonnée. Elle se contentait de ce que les personnes qui la rencontraient sur son chemin lui offraient (gîte, repas, itinéraires...).

Elle avait déjà élevé ses onze enfants quand elle trouva, dans un magazine, un article sur les randonnées des Appalaches. Elle prit la résolution de les faire, pour la première fois au monde, seule. Elle mesurait un mètre cinquante et, lors de sa première randonnée, perdit vingt-deux kilos. Elle n'avait emporté avec elle que cinq paires de sneakers. Plus tard, à l'âge de soixante-douze ans, elle fit la randonnée de l'Oregon, pour en célébrer le centenaire.

Combien d'« Emma » croise-t-on encore dans les auberges de jeunesse de Hong Kong, Taïwan, Mexico ? Rencontrer chacune de ces personnes est un véritable bonheur, comme si l'on avait ingurgité un « remontant ».

Et vous, que feriez-vous si vous en aviez la possibilité, si vous n'étiez pas entravé par des considérations matérielles, une maison pleine à craquer, un jardin demandant à être arrosé, un conjoint casanier, des enfants adultes dépendants ?

De vieilles dames japonaises vivant chez leurs enfants

J'ai rencontré, sur le banc d'un parc de Tokyo, une vieille petite dame très mince et pétillante de vie. Elle m'a raconté qu'elle vivait chez ses enfants, mais que, pour que sa présence ne leur pèse pas, elle passait ses journées hors de la maison. Le matin elle suit des séances d'entraînement physique offertes par la municipalité, l'après-midi elle va à la bibliothèque ou en promenade. Puis elle se fait un point d'honneur à trouver pour le dîner familial le meilleur poisson. Elle me dit ne posséder que quelques pantalons et quelques pulls qu'elle se tricote le soir en écoutant la radio. Pourquoi posséder plus que ce dont on se sert, me dit-elle en souriant !

Une autre dame du même âge, très souriante et discrète, vit chez sa fille. Elle m'a fait visiter sa pièce : un endroit presque vide excepté un futon, quelques photos de son défunt mari, un petit bureau et une petite télévision.

Son bonheur à elle est de faire le ménage de toute la maison et de ranger. Elle non plus ne tient pas à s'imposer dans la vie de sa fille. Mais celle-ci l'adore et l'emmène souvent avec elle lorsqu'elle sort. Cette vieille dame est tellement plus heureuse ainsi que toutes ces personnes en maison de retraite ! Mais elle sait se faire discrète, et ne pas réclamer plus que ce que sa propre présence peut lui donner. Elle a, elle aussi, consenti à se défaire de tous ses biens (maison, meubles, bibelots…), préférant à tout cela la présence de sa fille à ses côtés.

Une troisième dame, très fortunée, a, elle, fait don de tous ses biens. Il ne lui restait plus qu'un petit sac pas plus gros qu'une pastèque contenant ses effets personnels au moment de sa mort, me raconte le bonze qui l'a incinérée.

Et puis, je me souviens de l'interview d'une autre vieille dame, à la télévision, qui expliquait s'être délestée de tous ses biens et n'avoir gardé qu'une petite somme d'argent, pour s'acheter de quoi manger, et les fleurs de son jardin.

« Avec aussi peu, j'ai l'impression que rien de mauvais ne peut m'arriver », explique-t-elle en riant.

Routine ou vie nomade ?

« *Fidèles aux instructions, nous vivions comme des pèlerins (avec seulement le sac de toile sur le dos) et ne faisions pas usage de ces facilités qui surgissent dans un monde trompé par l'argent, les chiffres et le temps, et qui vident la vie de son contenu.* »

Hermann HESSE, *Siddhartha*

La possession de nos objets, explique Jean-Claude Kaufmann dans *Le Cœur à l'ouvrage*, stabilise probablement notre identité, mais elle peut, à l'inverse, devenir écrasante ou nous enfermer dans une routine pesante. D'où la révolte qui peut exploser contre notre quotidien, au nom de la liberté d'une vie que l'on souhaite recommencer d'un pied neuf. Petites révoltes prudentes, libérations anxieuses, sacrifices ponctuels lors d'un grand rangement, rages de jeter contrôlées à l'occasion d'un déménagement... Vouloir conserver ou abandonner ce que l'on possède peut représenter la vie que l'on veut ou pas continuer, comme la vie de couple, par exemple, ou les vacances, rituel périodique de désengagement. La motivation principale du départ de chez soi est de se sentir différent, plus libre, plus léger. Or cette métamorphose s'opère justement par la rupture avec le monde familier des objets familiers. Dans le camping, par exemple, au changement d'univers se surajoute une recherche de dénuement, d'inversion par rapport au confort ordinaire.

Cet archétype est présent en chacun de nous depuis les temps anciens et nous veut mobiles, sans attaches, comme les animaux. Regardez ces voyageurs septuagénaires voyager seuls de par le monde, un petit sac sur le dos, loger dans des auberges de jeunesse et se nourrir dans les restaurants locaux. Comme des oiseaux de passage, des « vagabonds visionnaires », ils nous tracent le chemin de routes spirituelles.

Troisième partie

PASSER À L'ACTION

1

L'inventaire du logis

LA CUISINE ET TOUT CE QUI S'Y RAPPORTE

Pourquoi gardons-nous tant de nourriture dans nos placards ?

> « Tout ce que je fais est gouverné par le principe
> qui est de ne pas laisser de restes,
> de vivre économiquement et d'être de bon service
> envers les autres.
> J'aime que les choses soient utilisées et servent.
> Pour moi, l'économie, c'est tout.
> Je ne cuisine jamais ou n'achète jamais quelque chose
> qui dépasse ce qui est nécessaire. »
> Toinette LIPPE, *Nothing Left Over*

On mange, on boit jusqu'à être malade ; puis on dépense une fortune en soins et en médicaments. Pourquoi achetons-nous tant de nourriture, de vitamines en boîte, de produits de régime, de livres de recettes de cuisine, de diététique, de régimes ? Tout cela est si irrationnel, contradictoire, à moins d'avoir connu une période de guerre traumatisante ou de manque autrefois… Quelle est l'excuse des générations qui n'ont pas connu ces périodes ?

Nous gardons chez nous de quoi nourrir un régiment. Puis nous jetons les produits périmés. Pourquoi ne pas finir ce qu'il y a dans ses placards, libérer une place énorme, et n'acheter que ce dont nous avons besoin (plus qu'envie !) pour quelques jours ? Il est tellement agréable de manger des produits variés, frais, qui viennent directement du marché, plutôt que des légumes qui dorment dans le réfrigérateur depuis plusieurs jours ou même des surgelés !

Faire ses courses, cuisiner et manger devrait rester, autant que de se nourrir, un plaisir et un art. Organiser sa manière de se nourrir, une question essentielle, car inévitable.

Ne possédez que des produits de base

Combien d'épices et de produits divers vieux de trois ou cinq ans, et qui n'ont servi qu'une ou deux fois, conservez-vous dans votre placard de cuisine ? Si vous les avez gardés pendant tant de temps, c'est que vous ne les utilisez pas. La preuve !

Demandez-vous si cette recette recommandée dans le dernier magazine que vous venez de lire, et que vous avez envie d'innover, mérite d'acheter des ingrédients qui ne serviront qu'une seule fois.

Faites de la cuisine simple, ne nécessitant que des ingrédients utilisés au quotidien. Cela vous évitera des livres de recettes encombrants et la culpabilité de ne pas utiliser tous ces produits achetés pour une toquade ou une mode. Réservez-vous le plaisir de plats exotiques pour vos sorties. Pourquoi acheter du nuoc-mâm pour des nems que vous ne ferez qu'une fois par an ? Des produits de base de grande qualité feront vos vinaigrettes bien meilleures que toutes ces sauces industrielles. Une de mes amies très prise par sa carrière n'achète, par principe, aucune sauce. Si elle a peu de temps pour préparer une salade le soir, elle se contente de quelques gouttes d'huile de noix, un peu de fleur de sel, et de quelques fines herbes qu'elle fait pousser sur son balcon. Et elle se régale.

Faire le tri dans ses placards de cuisine devrait être prétexte à réfléchir sur le sens de sa vie, sa façon de se nourrir, l'économie du foyer. Acheter tant de produits et ne pas les utiliser est un bien plus grand gâchis que de les jeter : tirez-en une leçon, devenez plus économe, et ne retombez pas dans les mêmes erreurs. Décidez de terminer toutes vos réserves alimentaires avant d'acheter quoi que ce soit d'autre, si ce n'est des produits frais. Ou jetez tout dès aujourd'hui et prenez la décision de vivre « au jour le jour » de produits frais. Vous respirerez mieux autant dans votre cuisine que dans votre corps.

La tradition juive

La tradition juive veut que, une fois par an, les fidèles vident complètement leur habitation de tout aliment, jusqu'à la moindre miette de pain entre les lames de parquet. Quelle excellente coutume afin de ne pas garder pendant des années des épices ayant

perdu leur parfum, du sucre qui s'est cristallisé, du thé
éventé, et de n'acheter qu'avec parcimonie et calcul !

L'être humain a probablement en lui le souvenir
ancestral du besoin de faire des provisions en cas de
pénurie, mais nous avons changé dans bien d'autres
domaines, alors pourquoi pas dans celui-là ? La même
question se pose quand on dit : « Quand j'étais jeune,
il y avait la guerre, et nous n'avions rien. »

Même avec toute cette nourriture en réserve, nous
ne survivrions que quelques semaines au plus, si une
catastrophe se produisait. Et puis, si nous apprenons à
jeûner régulièrement, cette peur de manquer disparaîtra complètement. Seule l'eau est indispensable. Un
être humain peut se passer de nourriture jusqu'à quarante jours. Le véritable gâchis n'est pas de jeter : c'est
d'acheter et de consommer plus que notre organisme
ne le demande. Puis de tomber malade, d'avoir besoin
de médecins, de médicaments, d'hôpitaux, de cures…

Ouvre-moi ton réfrigérateur, je te dirai qui tu es

> *« Le plus grand trésor de l'homme*
> *est de vivre de peu tout en restant satisfait.*
> *Car le peu ne manque jamais. »*
> Sénèque

Nous ouvrons notre réfrigérateur si souvent que
nous ne voyons même plus ce que nous n'utilisons
jamais. Le réfrigérateur est un endroit qui, à 99 %,
contient des produits à jeter. Les produits vieux sont
probablement périmés et mauvais pour la santé. Et ils
ne deviendront pas plus tentants dans une semaine, si

cela fait déjà un mois que vous les avez. Plus une seconde à perdre donc, jetez-les. *Out*. *Bye*. Videz régulièrement tout votre réfrigérateur. Si vous n'avez pas le courage d'en faire le grand ménage, « faites » une étagère à la fois. Videz-la. Nettoyez-la, puis remettez-y ce qui est encore consommable. De la voir si nette à chaque fois que vous ouvrez votre réfrigérateur vous donnera l'envie de « faire » les autres. Le père de Bob, un ami américain, est un riche banquier de confession quaker. Malgré sa fortune, il ne lui serait jamais venu à l'idée d'emménager dans une plus grande maison. Son réfrigérateur minuscule reflète sa façon de vivre. Son fils, quant à lui, vit seul à Tokyo et ne consomme que des produits très frais qu'il prépare d'après les recettes d'un vieux livre de diététique offert par sa mère. Pourquoi se compliquer la vie inutilement ?

Ne faites que quelques réserves pour les « pannes du dimanche soir ». Non seulement les aliments frais sont meilleurs au goût et pour la santé, mais quoi de plus naturel que d'acheter au jour le jour (ou du moins tous les trois jours) ce qu'il faut pour se nourrir ? On peut se régaler tout en se nourrissant frugalement. De plus, ce gâchis de nourriture est un gouffre dans le budget et la honte de nos civilisations face à des peuples qui meurent de faim.

Le congélateur

Utilisez-le uniquement pour les restes ou des légumes que vous ne pouvez pas consommer immédiatement (s'ils viennent de votre jardin et qu'ils remplissent le congélateur, pourquoi ne pas réduire la taille de celui-ci de façon à ne garder que ce que vous pouvez raisonnablement consommer ? Que faire de cinquante choux verts et dix kilogrammes d'asperges quand on ne vit qu'à deux ?).

Si vous n'avez pas le temps d'aller à l'autre bout de la ville acheter le meilleur pain, achetez-en deux ou trois kilos, faites-le couper en tranches et congelez-le le plus frais possible. Quelques minutes au four avant de passer à table, et il sera aussi délicieux que sortant du four du boulanger ! Vous pouvez, de la même manière, congeler une demi-plaquette de beurre…

La vaisselle

« J'aimerais devenir moins désireux de faire des acquisitions, être capable de voir d'exquises porcelaines chez quelqu'un et être bien content qu'elles soient chez lui et pas chez moi. »
Gabriel FIELDING

Ne gardez que la vaisselle utilisée par vous et votre famille et celle pour les personnes que vous invitez régulièrement. Combien de personnes invitez-vous au maximum pour un repas ? Si le nombre est de sept, gardez de quoi recevoir sept personnes (assiettes, verres, couverts, tasses…).

Choisissez un type de vaisselle multifonctionnel : des tasses convenant aussi agréablement au thé qu'au café ou à une tisane. Si vous recevez peu, débarrassez-vous des couverts superflus. Si vous envisagez de recevoir un grand nombre de personnes, si vous ne planifiez un repas collectif qu'une fois tous les cinq ans, vous pouvez toujours emprunter, pour l'occasion, les couverts manquants. En ce qui concerne tout ce qui est nécessaire aux occupants de la maison, ne gardez qu'une pièce de chaque type de vaisselle pour chacun : un verre, un bol, une tasse, etc.

Voilà une suggestion bien monacale, mais pensez à la propreté qui régnerait dans la cuisine si chaque membre de la famille lavait ce qu'il a utilisé après son repas ! Au Japon (mais aussi dans nos campagnes d'autrefois), chacun a son bol, ses couverts, aussi personnels que la brosse à dents. C'est aussi ainsi que fonctionne l'organisation des temples zen. Après le repas, chacun nettoie ses bols et ses baguettes et remet le tout sur un espace attitré de la grande étagère en bois du réfectoire. Les bols (trois ou cinq, en laque) sont encastrables et tiennent très peu de place. Ils sont noués avec les baguettes dans un linge blanc (qui sert aussi de serviette) pour ne pas prendre la poussière. Dans le temple, la vaisselle pour les invités est rangée dans des boîtes en bois, dans une autre partie des bâtiments. Le grand principe du zen est que rien, ni les objets, ni les gestes, ni les pensées, ne doit être inutile ou vain. Et Dieu sait que cela ne nuit en rien à l'esthétique ! Tout l'art japonais le démontre !

Gardez un œil vigilant sur le nombre d'assiettes, de verres, de salières et de gadgets inutiles qu'il est si tentant de s'offrir un samedi après-midi dans la foule des grands magasins (au moins 40 % de notre vaisselle a été acquise dans l'éventualité d'une horde d'invités qui débarqueraient comme un régiment chez nous). Après avoir fait tout ce tri de vaisselle, vous vous apercevrez probablement que vous n'avez même plus besoin de votre lave-vaisselle, de ses produits chimiques, de son coût en énergie, des tracas liés à sa réparation ou à son remplacement.

Quelques ustensiles de cuisine utiles ou indispensables :

• une ou deux poêles ;

• un chinois (faisant aussi office de passoire et de panier à salade – poser une main sur les feuilles en secouant) ;

• deux ou trois plats qui vont au four, quelques casseroles (quatre au maximum, votre gazinière n'en contiendra jamais plus en une seule fois) ;

• une marmite ;

• un moule à tarte rond et un pour les cakes ;

• un verre mesureur (on peut aussi se contenter d'un simple verre à moutarde, sachant qu'il fait 150 millilitres) ;

• un vrai saladier de travail (en aluminium ultraléger pour les pâtes à crêpes, les salades, les mélanges…) ;

• un minuteur (indispensable pour ne pas avoir peur de faire de ses toasts du charbon de bois ou de son rosbif de la semelle) ;

• quelques couverts et autres (une louche, une spatule – servant aussi de pelle à tarte et de cuillère à mélanger dans la marmite –, des baguettes (si pratiques et ergonomiques, à condition de savoir s'en servir pour cuisiner…), un bon couteau ;

• une planche à découper.

Voilà tout ce dont vous avez besoin pour faire des repas simples ou… sophistiqués. C'est au fil de longues années, après maintes hésitations, erreurs d'achat,

tâtonnements, que je suis arrivée à cette liste sug-
gestive qui, bien qu'elle paraisse secondaire, représente, à un détail près, la seule et vraie batterie de
cuisine dont un foyer a besoin. Seule la taille des
objets peut varier selon le nombre des membres de
la famille.

Les livres de cuisine et ces milliers de recettes que vous ne préparerez jamais

Ne conservez que celles de plats que vous avez déjà
goûtés et appréciés. Inscrivez-les dans un carnet à
anneaux pour pouvoir ensuite les classer par rubriques
(recettes pour l'été, soupes, dîners à deux, marmites
pour six…) et selon vos besoins personnels.

Ou ne gardez qu'un seul livre de cuisine comprenant des recettes de base. Cuisiner est avant tout l'art
de l'improvisation et une question de goût !

Les gadgets de la cuisine

> *« Je ne pense pas que quelque civilisation,*
> *quelle qu'elle soit, puisse être dite "complète"*
> *jusqu'à ce qu'elle ait progressé de la sophistication*
> *à la non-sophistication, et qu'elle ait fait un retour conscient*
> *vers la simplicité de pensée et de vie. »*
> Lin Yutang, *L'Importance de vivre*

Nous accordons à la fois trop et pas assez d'attention à la nourriture : nous avons trop de gadgets mais
pas assez de repas simples, équilibrés, et composés
de produits frais. Nous accumulons toutes sortes de

gadgets liés à la nourriture parce que nous pensons que celle-ci est la base de la vie. Mais c'est souvent la peur de manquer de « moyens » pour bien cuisiner qui nous fait remplir nos cuisines d'autant de bricoles. Bien entendu, il faut tenir compte des personnes qui, soit n'ont pas le temps de faire la cuisine, soit ne souhaitent pas consacrer leur temps à en faire, et qui recherchent donc toutes les solutions de facilité comme un four à micro-ondes, une friteuse électrique ou un couteau électrique ; mais la liste de gadgets qui suit devrait vous inciter à vous demander lesquels, parmi tous ces gadgets, sont ceux dont vous avez vraiment besoin, et les autres.

• Aiguise-couteau électrique (une pierre à aiguiser est aussi efficace)

• Mixeur de légumes (une moulinette manuelle fait aussi bien les purées et les bouillies)

• Fouet électrique (comment faisaient nos grand-mères ?)

• Hachoir électrique (un bon couteau affûté détruit moins les fibres des légumes)

• Robot Marie (le monstre des petites cuisines)

• Presse-agrumes électrique (lui aussi retire de leur qualité aux fruits)

• Appareil à gaufres, à fondues (pour des repas pas chers, certes, mais si peu diététiques)

• Friteuse électrique (un wok fait aussi bien l'affaire)

• Cocotte-Minute (je vais me faire des ennemis, mais je pense qu'une vraie cocotte en fonte fait de meilleurs plats)

• Chauffe-plat électrique (on peut aussi bien réchauffer les plats en porcelaine directement sur une flamme douce de la gazinière)

• Machine à pain (le *ki* de la main est la clé d'une nourriture digne de ce nom)

• Ouvre-boîtes électrique (les conserves ne devraient être consommées qu'exceptionnellement : un petit ouvre-boîtes des surplus américains, pas plus gros que le pouce, suffit alors)

• Cafetière électrique pour café et expresso (une petite cafetière italienne fait d'aussi bons cafés que ces énormes machines qui sont presque un signe de statut social dans beaucoup de cuisines modernes, mais que l'on utilise bien souvent qu'épisodiquement)

J'en oublie probablement, mais les cuisines peuvent être le « paradis des gadgets » (tout comme nos garages ou nos sous-sols, d'ailleurs, qui sont aussi bien souvent celui d'un bric-à-brac innommable).

Pour une alimentation saine, pas besoin d'appareils

En simplifiant son alimentation, le besoin de posséder des appareils spécialisés diminue. Les mets simples et sains, mais néanmoins dignes des meilleurs restaurants, peuvent être préparés à la main. On peut faire dans une poêle tout ce que l'on fait dans une poêle électrique, dans un four ce que l'on fait dans un four à micro-ondes. Coupez les cookies avec un rond de verre. Roulez la pâte avec une bouteille. Pochez les œufs dans une poêle à frire. Hachez les fines herbes sur une planche avec un couteau. Le seul appareil qui peut faire gagner du temps est un petit blender multiples usages (œufs en neige, soupes, purées, viande hachée…) pas plus volumineux qu'un petit séchoir à cheveux. Il vous permettra de vous débarrasser de tous ceux qui n'ont qu'une seule fonction. Le seul appareil électrique de ma cuisine est mon Bamix. Il m'a permis de passer de la consommation d'aliments prêts-à-manger hautement préparés et emballés, à la consommation d'aliments que je prépare moi-même avec des produits frais.

Un grand chef, un bonze zen, nos grand-mères font tout à la main ! Leur cuisine est-elle moins savoureuse ? Attention aussi à ces blocs à fentes destinés à ranger un assortiment de couteaux de cuisine certes impressionnant mais inutiles, à ces casiers à crochets pour les couvercles des casseroles, à ces caissons à bouteilles, à ces intérieurs de tiroirs à partitions, à ces sacs à sacs…

Mettez tous les ustensiles de cuisine et appareils à un seul usage que vous n'avez pas utilisés au cours de l'année dans un papier journal et donnez-les. S'ils sont trop usagés ou rouillés, poubelle ! Que cet acte irréversible vous fasse, une fois pour toutes, prendre conscience de toute cette accumulation d'inutilités et qu'il vous permette d'en tirer une leçon afin de ne plus vous faire reprendre au piège de la consommation des fabricants. Vive la bonne cuisine faite à la main et avec amour !

L'exemple du hache-persil électrique

Êtes-vous bien sûr que le sortir du placard (en ayant souvent à faire mille contorsions pour l'atteindre), le brancher, y mettre le persil, puis le laver, le remettre à sa place, va prendre moins de temps que de hacher le persil sur une planche avec un couteau qui, lui, sert à d'autres choses ? Prenez-vous aussi en considération l'eau nécessaire pour le laver, l'énergie en électricité, le produit de vaisselle et la pollution qu'il entraîne, le bruit qu'il émet, et… les déchets qu'il produit une fois hors d'usage (sans parler de ceux de l'usine qui l'a fabriqué) ? La santé commence dans nos cuisines. L'écologie et l'art de vivre également.

Les « SDF » de la cuisine

Ce que je nomme les « SDF » sont tous les pots vides, serviettes en papier, bouchons en liège, cuillères à pot de confiture, fourchettes à olive, coquilles d'escargot (on peut très bien servir les escargots sans leur coquille dans de jolis ramequins passés au four), ficelles, casse-noisettes, casse-noix (un seul des deux suffit), bref, ces multiples petites choses qui traînent au fond d'un tiroir, dans le coin d'un placard et qui encombrent bien plus qu'elles ne servent. Sans elles, les recoins et les tiroirs seraient tellement plus dégagés ! Ne gardez que quelques pots en verre pour conserver vos aliments. Ils sont gratuits et plus agréables que le plastique ! À quoi bon conserver tous ces bocaux, boîtes en plastique, en polystyrène vides ? Même malgré vous, il en rentrera d'autres, des dizaines d'autres, lors de votre prochain passage au super-marché. Ce dont vous avez le plus besoin, c'est d'espace pour opérer. Alors tous ces SDF, poubelle !

Mangez, buvez et recevez plus… simplement !

Nous gardons les choses, sachant bien, au fond, qu'elles ne nous serviront peut-être jamais. La personne avec laquelle nous sommes le moins lucide est nous-même. Commencez par une vraie prise de conscience : combien de fois recevez-vous dans la semaine, le mois, l'année ? Utilisez-vous tout ce que vous avez ? Faites une liste de ce que vous n'utilisez jamais ou presque et dont vous pouvez vous passer et de ce qui peut vous faire éviter d'utiliser trop de vaisselle (le gril du jardin, une grosse marmite pour un pot-au-feu…). Vous pourriez désormais préparer des repas, comme « pain soupe fromage » ou « salade riz poisson » aussi simples que raffinés et savoureux. Tout est dans l'art et la manière. Avec tous ces repas gras, salés, compliqués, lourds, pris à l'extérieur, de tels mets sont presque devenus un luxe !

Voici quelques petits conseils pour recevoir plus simplement :

• Ne servez à vos invités que deux ou trois sortes de gâteaux d'apéritifs. Ou bien préparez de vrais petits toasts comme des œufs mimosa sur une feuille d'endive, du fromage frais roulé dans une tranche de jambon et coupé en petites bouchées, des tomates-cerises à la feta… Cela est plus prévenant et diététique que des gâteaux salés en boîte, et permet d'éviter les emballages à jeter et la pollution que tous ces produits industrialisés infligent à notre environnement.

• En boisson apéritive, ne proposez que deux ou trois choix. Un champagne bien frais ou un bon vin ne déplaît en général à personne.

• Ayez pour vos invités un style de vaisselle non disparate (la choisir aussi simple que possible pour que toutes sortes de mets y soient mis en valeur).

• Ayez un service à thé/café, gâteaux (plateau, petites assiettes, cuillères… regroupés dans un endroit unique) pour les invités.

• N'entamez qu'un seul paquet de thé à la fois (il reste ainsi frais et on peut en changer rapidement au lieu d'en avoir dix que l'on ne finira pas en six mois – jeter immédiatement les thés que l'on n'aime pas).

• Ayez une ou deux spécialités culinaires propres à vous, originales, et dont tout le monde raffole.

Les boissons

Essayez de regrouper tout ce qui concerne les boissons sur une grande table ou sur des journaux au sol. Vous aurez une surprise… Thés, cafés, tisanes, apéritifs, digestifs, vins, sirops, verres de toutes sortes, tasses à thé anglais, à thé chinois, tisanières, mugs, bols à café au lait, boîtes à thé, à café, filtres, cafetières, théières, tout cela peut prendre un buffet entier et même plus. Quant aux services à thé ou à café de nos aïeules, qui les utilise au quotidien de nos jours ?

L'idéal est de trouver quelques tasses ou verres assez beaux et neutres pour servir aussi bien le thé que le café, le vin que de l'eau pétillante.

Une bonne vieille théière culottée de taille moyenne, une petite casserole pour faire bouillir l'eau nécessaire (on fait toujours bouillir bien trop d'eau, gaspillant ainsi électricité et eau) suffisent. Pourquoi garder la bouilloire électrique et ses fils encombrants, la cafetière électrique et ses filtres en papier, la machine à cappuccino (un plaisir à se réserver pour les sorties au café) et ne pas boire, pour la santé et la beauté, de l'eau, tout simplement, lorsque nous avons soif ?

Les objets en plastique et autres matières qui sont causes de pollution

Le recyclage est souvent un faux problème. Si l'on ne consommait pas tant à tort et à travers, il n'y aurait pas à recycler. Si l'on achetait sa nourriture dans les marchés, avec son panier, tout ce gâchis d'emballages et de production de plastique serait résolu. Évitez d'utiliser et d'acheter le plastique autant que possible. Utilisez les pots en verre pour conserver vos aliments, du linge de table et de cuisine en coton. Utilisez des sacs à provisions et réduisez votre utilisation de sacs jetables. Les produits jetables incitent sournoisement à la négligence en éliminant le besoin, du moins à court terme, et nous font oublier d'évaluer les conséquences de nos actes. Économisez votre argent et les ressources dont dispose la planète en utilisant des sacs ou des contenants réutilisables aussi souvent que possible.

Réfléchissez, à chaque fois que vous achetez un produit préemballé, à la pollution que celui-ci a occasionnée et va occasionner.

Nous sommes de nos jours esclaves de l'argent et de l'économie, et achetons nos loisirs, nos plaisirs. Nous achetons la plupart de notre nourriture dans des boîtes, des tubes, des paquets. Même notre vinaigrette ! Vivre écologiquement ne revient pas à se priver, faire des sacrifices ou mener un mode de vie sans attrait. Au contraire, cela devrait mener à une vie plus riche, intéressante, pleine, longue et saine.

Santé, économie et écologie forment un tout. Si vous décidez d'améliorer votre hygiène de vie et de manger moins et mieux, vous vivrez en meilleure santé, vous aurez plus d'endurance, et vous dépenserez moins d'argent tout en participant à la sauvegarde de l'environnement.

LES NÉCESSITÉS MÉNAGÈRES

Les appareils ménagers

• Un aspirateur (qui tient debout, léger et sans sacs jetables – qui se vide sur un papier journal)

• Une machine à laver le linge (avec sèche-linge intégré si vous n'avez pas de place pour étendre le linge)

• Une gazinière avec four

- Un fer à repasser (un tapis de repassage sur un coin de la table ou au sol fait aussi bien office de planche à repasser)
- Un réfrigérateur
- Un petit mixeur

Seuls ces appareils ménagers sont vraiment utiles. Et ils existent depuis des décennies. La seule nouveauté est la publicité pour de nouveaux produits qui n'apportent pas plus.

Le linge de maison

> *« Ces draps et ces nappes de lin, de métis damassé…*
> *ces dentelles précieuses,*
> *elles ne me disaient rien. Que pouvais-je en faire ?*
> *Les serrer à mon tour dans de grandes armoires en chêne*
> *sentant bon la lavande que je ne possédais pas ?*
> *Où étaient les grandes tablées d'autrefois*
> *pour les accueillir sous la lumière*
> *des grands bougeoirs, des services de porcelaine, des couverts*
> *d'argent et des serviettes fraîchement empesées ? Ce monde*
> *n'était plus, un tel mode de vie n'existait plus. »*
> Lydia FLEM, *Comment j'ai vidé la maison de mes parents*

Ne gardez que ce qui est nécessaire à chacun des membres de votre famille (deux sets de draps par lit, deux serviettes de toilette par personne, etc.) et selon la fréquence et l'importance du nombre de personnes que vous recevez, quelques « sets invités » (une parure de draps et linge de toilette) rangés dans leur taie d'oreiller. Quant aux nappes, serviettes de table, napperons, tout dépend, bien sûr, de votre style de vie, mais pourquoi, si vous aimez les belles tables, garder plus d'un ou deux beaux services (nappe et serviettes) ? L'idéal est une belle table en bois sur laquelle poser des sets en tissu et un chemin de table central, évitant ainsi de longues séances de repassage. De petites serviettes de table suffisent, elles aussi. Pourquoi ces immenses serviettes d'autrefois ?

Donnez les draps, serviettes de toilette non utilisés à une association. Ce sont des articles « basiques » dont les plus démunis ont réellement besoin.

Que le nombre d'oreillers, couettes, couvertures, édredons, dessus-de-lit également, corresponde au nombre de lits dans votre maison (vous pouvez mettre couvertures et oreillers non utilisés quotidiennement dans des housses de coussin). Faites également don de vos anciens rideaux, tentures, couvre-lits et autres qui restent dans les placards. À quoi bon laisser tout cela aux mites ou à une descendance qui a déjà ce qu'il lui faut et les goûts de sa propre époque ? Soyez réaliste : qui utilise ces beaux grands draps brodés, lourds, que nos grand-mères faisaient nettoyer autrefois par les domestiques ? On utilise des couettes aujourd'hui, et il existe d'aussi belles choses qu'autrefois ; chères, certes, mais plus pratiques et mieux adaptées à notre mode de vie actuel. Seul l'attachement nous empêche de nous débarrasser de tout ce « beau linge » de famille.

Les produits d'entretien

Balai, plumeau, balai à essorer, chiffons, serpillières, produits pour les sols, sanitaires, vitres et miroirs, déodorants, désinfectants, insecticides, seaux, cuvettes, brosses, lingettes, sacs de plastique pour les poubelles… la plupart des foyers en ont suffisamment pour nettoyer un hôtel. En vérité, peu suffit pour avoir un intérieur impeccable. On peut nettoyer pratiquement toute sa maison avec un aspirateur, un seau d'eau, un chiffon, quelques gouttes d'eau de Javel, du savon noir et… de l'huile de coude.

De plus, au fur et à mesure que votre demeure deviendra plus épurée, moins encombrée et que la quantité totale de vos biens sera réduite au minimum, vous constaterez que vous avez besoin de beaucoup moins de toutes sortes de produits spécialisés qui coûtent cher, sont souvent peu écologiques (huiles, solvants, nettoyants, produits à polir, produits chimiques utilisés pour les appareils tels que les lave-vaisselle, etc.), et surtout très nocifs pour la santé (bombes aérosol désodorisantes, parfums d'intérieur chimiques, etc.). Économisez du temps, de l'argent et de l'espace en vous débarrassant de tous ces produits. Si vous possédez une maison avec un terrain, aménagez celui-ci de façon à réduire le travail d'entretien, l'équipement nécessaire ainsi que la consommation de produits servant à l'entretien (par exemple, effectuez l'aménagement de votre terrain en utilisant des plantes locales qui requièrent peu d'eau et de soins).

De tous les endroits simples qui existent au monde, les temples zen sont peut-être les plus impressionnants. Tout y est rutilant, impeccable, sans un grain de poussière. Et pourtant le ménage y est fait entièrement avec un balai, un seau d'eau et des chiffons. Même un balai-brosse semblerait, dans ce monde du parfaitement beau, d'une extravagante inutilité ! En outre, quoi de mieux que le ménage, pour faire bouger son corps et reposer ses méninges ?

LES OBJETS ÉLECTRONIQUES

Instruments de communication

> *« N'est-ce pas merveilleux de vivre dans le xxe siècle ?*
> *Pour la première fois dans l'Histoire, vous n'avez*
> *pas besoin de posséder la moindre chose. »*
> Philip HARNDEN, *Journeys of Simplicity : Traveling Light*

Portables, téléphones fixes, appareils photo, ordinateurs, imprimantes, papier, cartouches d'encre, scanners, disquettes, CD-Rom, fax, machines à broyer le papier, calculettes, appareils de stéréo, CD de musique, DVD, caméras, baffles, télévisions, appareils récepteurs de télévision par câble et satellite, magnétoscopes, visionneuses, caméscopes, notices d'explication, fils, prises, modems, reçus et bons de garantie, appareils dépassés par la technologie, hors d'usage, cartons d'emballage, mails à composer... Tout ce qui a trait à la communication est une source d'encombrement et de complication dans nos vies encore plus importante que les livres. Pourtant, avec la miniaturisation de la technologie, il est encore plus facile qu'avant de vivre avec très peu. Un ordinateur remplace le journal, le carnet d'adresses, les notes personnelles, les correspondances intimes, la musique, les photos... Il contient nos dictionnaires, nos sources de références... Il est le placard le plus vaste du monde et le plus compact. Pourquoi créer de nouvelles accumulations autour d'une telle merveille de simplicité (scanner, imprimante, papier, baffles, livres d'explication, souris), sauf si l'on en a vraiment besoin pour son métier, bien sûr ?

Deux ou trois cartes de mémoire peuvent enregistrer tout ce qui s'y trouve, et, même au fin fond de l'Inde, on trouve des cafés Internet. Une télévision, un ordinateur et un téléphone portable suffisent pour vivre. Pourquoi posséder deux téléphones ? Si vous passez plus de temps chez vous qu'à l'extérieur, le portable est un outil de plus pour lequel il faut payer, dont il faut prendre soin, et qui peut s'avérer être une de nos pires sources de nuisance. Choisissez entre un fixe et un portable. Mais pas les deux. Et puis, le portable ne sert-il pas aux autres plus qu'à soi ? Ne payons-nous pas un abonnement pour être, le plus souvent, au service des autres ?

L'audiovisuel

Quant à vos postes de télévision, vendez, donnez ou débarrassez-vous de tous les téléviseurs et de toutes les radios sauf un de chaque. Il est justifié de garder une radio pour les bulletins de nouvelles et les situations d'urgence. Profitez au maximum de chaînes de radio vous offrant gratuitement des milliers d'heures de musique, des interviews, les informations. Ne gardez que les CD que vous ne pourrez jamais remplacer, et, en contrepartie, renseignez-vous avec plus de minutie sur les programmes offerts à la radio.

Débarrassez-vous des disques que vous n'écoutez plus. On se lasse d'un CD après l'avoir écouté plusieurs fois. Si vous aimez le jazz, connectez-vous à une station de jazz sur votre ordinateur. Ne soyez pas un auditeur passif, apathique et muet. C'est à vous de choisir ce que vous écoutez ou ne voulez pas écouter.

L'ordinateur, connecté, peut vous servir à écouter vos CD. Vous pouvez même transférer ceux-ci sur une carte de mémoire pas plus grosse que l'ongle de votre pouce…

LA DÉCO ET LES MEUBLES

Les bibelots de décoration

Pendules, réveils, horloges, carillons, thermomètres, statues, bibelots, trophées de guerre, animaux empaillés, bouquets de fleurs artificielles, photos encadrées, céramiques de décoration… autant de nids à poussière et de sources d'encombrement visuel. Si tout cela disparaissait dans un incendie ou une inondation, le remplaceriez-vous ? Des animaux massacrés pour le plaisir des yeux, des fleurs ne s'épanouissant jamais, ne sentant rien, ne « parlant » pas, quel plaisir en retire-t-on réellement, sinon celui de combler un vide ? Avez-vous vraiment besoin de ce masque en ébène pour vous souvenir d'un voyage en Afrique ? Est-ce tout ce qui vous en reste ? De nos jours, on peut acheter n'importe quoi n'importe où. Obtenir quelque chose dans la vie et quelque chose de la vie n'est pas la même chose. Nous pouvons rapporter d'un voyage mieux que des choses : des émotions, des impressions, des sensations, des expériences, un vécu. Notre attachement aux choses matérielles nous empêche de goûter à des plaisirs bien plus subtils, à des connaissances plus profondes. D'après les statistiques d'une compagnie de vol américaine, un voyageur dépense à peu près un quart de son budget voyage en cadeaux et souvenirs ! (Inutile, également, de garder les cartes, brochures et imprimés divers des endroits visités. Ceux-ci sont renouvelés tous les six mois. Ne conservez, à la rigueur, que quelques numéros de téléphone.)

Les plantes d'intérieur

Ne confondez pas « paysage d'intérieur » et fouillis de plantations, boutures, plantes mortes… Faites pousser des arbres dans votre appartement. Ils sont souvent moins chers que les plantes vertes, quelquefois même moins chers qu'un bouquet de fleurs. Le ficus benjamina est une espèce qui pousse très bien en appartement. N'achetez pas de sapins de Noël, mais décorez vos arbres d'intérieur de lumières et de guirlandes. Mille autres détails peuvent apporter le même air de fête, comme un dessus de commode décoré au moment des fêtes de santons en papier mâché, et de poudre argentée avec quelques bougies…

Les tableaux et autres décorations murales

« Les objets doivent circuler. Ils vivront longtemps
après nous ou disparaîtront,
fanés, déchus, sans que personne les pleure. Ils n'appartiennent
à personne en propre, ils nous sont confiés pour un temps.
Leur ronde doit se poursuivre.
À chacun son tour d'en jouir. »

Lydia FLEM, *Comment j'ai vidé la maison de mes parents*

Remplacez ces dizaines de petites décorations murales par un grand et imposant tableau mural. Ou une peinture sur rouleau que vous pouvez retirer ou changer en un tour de main. Ou rien. Vous vous y habituerez autant qu'à toutes ces petites décorations murales que vous voyez chaque jour sans les regarder.

Les meubles

« Un jour, j'ai rencontré un rabbin
qui vivait dans une toute petite chambre
avec seulement une table et une chaise. Je lui ai demandé :
"Mais, rabbin, où sont vos meubles ?"
Il me répondit :
"Et vous, où sont les vôtres ?
— Moi ? Mais je ne fais que passer...
— Eh bien, moi aussi, répondit le rabbin. Je ne fais que passer." »

Stuart WILD, *Les lois de l'esprit*

Ce ne sont pas, paradoxalement, les « vrais » meubles qui encombrent le plus une maison. Mais si vous ne possédez que très peu, à quoi bon garder plus d'un ou deux lits, une table et des chaises, un canapé, un buffet et une armoire par chambre si vous n'avez pas de placard ?

Les Japonais ont réfléchi de façon plus sérieuse et plus poétique que nous en ce qui concerne l'ameublement : n'ayant pu, jusqu'à ce qu'ils s'enrichissent et s'occidentalisent, s'offrir une pièce pour chaque fonction de la vie (dormir, manger, étudier, recevoir), ils se servaient d'une seule et même table pour manger et écrire, recevoir ou travailler. Les coussins se transformaient en oreillers la nuit, les futons étaient roulés dans la journée dans un placard (ils pouvaient ainsi dormir là où cela leur chantait). Quant à leurs objets, comme ils étaient très rares, ils les plaçaient dans de petites structures de rangement aménagées dans les murs.

Avoir peu de choses ne signifie pas vivre dans l'austérité ou se priver de plaisirs. C'est s'assurer que les plaisirs que l'on a sont véritables, qu'ils nous satisfont pleinement, et qu'ils sont autre chose que les piètres émanations des médias.

Achetez le meilleur, et vos problèmes d'ameublement disparaîtront. La qualité de ce que vous possédez éliminera votre besoin d'acheter plus. Le but ? Les meubles qu'il vous faut exactement, à l'endroit où il faut exactement. Et cela, pour de nombreuses, très nombreuses années.

Les meubles dits de « rangement »

> *« La civilisation est une multiplication
> sans bornes de nécessités inutiles. »*
> Mark TWAIN

Attention à tous ces meubles et classeurs de rangement. Le maître, c'est vous ; c'est vous qui devez décider de ce que vos placards doivent contenir ou pas, c'est vous qui devez imposer une discipline à vos possessions. Pas le contraire.

Ces nouveaux types de meubles dits de « rangement » représentent des espaces supplémentaires encourageant l'accumulation de choses inutiles. Ils portent tous des qualificatifs associés à l'idée de « contracter » les choses (paniers, casiers, classeurs, étagères, boîtes…), mais ne font que nous fournir des excuses et les moyens de garder et accumuler toujours et encore plus. Et cet « encore plus » s'accumule en proportion de l'espace disponible. Compact ou pas, c'est tout de même là, même si c'est compressé, rempli, informatisé ou mis soigneusement sous vide dans de beaux sacs en plastique ! Et votre mental, lui, le sait. Les systèmes de rangement, même les plus ingénieux, ne règlent pas le problème du trop. Ils ne font que mieux le cacher. Ce trop aura vite fait de resurgir dans votre vie (vos conversations, vos pensées ou vos émotions).

Les meubles de rangement sont de plus en plus volumineux, les mémoires des ordinateurs de plus en plus extensibles, les facilités de paiement de plus en plus élastiques, mais rien ne change le problème de base et nous nous enfonçons de plus en plus. Comme si nous nous refaisions une nouvelle garde-robe pour cacher les nouveaux kilos.

Avec l'encombrement, il n'est pas besoin d'apprendre à faire des multiplications ; elles se font toutes seules. Une chose en nécessite toujours une autre, que cela soit pour l'assortir, la compléter, la contraster, l'enjoliver, la réparer…

Et bientôt ce que vous avez ajouté s'est déjà multiplié.

LES AIRES DE RANGEMENT

Cave, grenier, cagibi, remise, pièce de stockage…

Vieux pots et bouteilles vides, poêles et casseroles, meubles, malles, valises, paniers, vanneries, sacs, restes de papiers muraux, carreaux de faïence, pots de peinture, outils de bricolage ou de jardinage, anciens instruments de hobbies (planches à voile, instruments de musique, cartons de livres…), cannes, parasols déchirés… Ces lieux remplis de débarras peuvent eux aussi restreindre nos aspirations les plus élevées et les possibilités d'une vie plus vibrante et libre. Ces objets sont tout ce sur quoi nous n'avons pas pu prendre de décision. Et ce n'est pas parce qu'ils sont cachés qu'ils ne nous encombrent pas l'esprit ! Quand de tels endroits sont enfin vidés, libérés, nous pouvons mieux respirer, comme si nos chaînes de transmission avaient enfin reçu une bouffée d'air pur. Seules quelques bonnes bouteilles ne « pèsent » jamais.

Les dessus de guéridon, de commode, de table…

Clés, menue monnaie, bijoux, livres, stylos, courrier publicitaire, cosmétiques, comprimés… Le dessus d'un meuble n'est pas fait pour y laisser reposer et s'accumuler ces objets. Le désordre engendre stress et confusion. Un dessus vide réduit l'anxiété et améliore l'esthétique de la pièce. Faites le tri et ne gardez que ce qui doit se trouver dans votre sac.

Les placards

Quel plaisir d'ouvrir des placards vides !

Les placards sont faits pour les objets « actifs » et non « passifs » (vêtements qui ne vont plus, sacs à main jamais utilisés…). Un Filofax, par exemple, n'a pas sa place dans un placard : ou bien il sert tous les jours et se trouve dans le sac à main ou en vue dans une pièce, ou bien il n'a pas sa place chez vous. Souvent, plus il y a de placards, plus il y a de choses inutiles ; et plus les placards sont profonds, plus le fouillis existe… en profondeur (on met toujours au plus profond ce que l'on n'utilise pas) ! Quand le fouillis est trop dense et trop tassé, cela rend l'acte de sortir et de remettre les choses à leur place encore plus pénible. Les placards les plus inaccessibles devraient aussi être les plus… vides.

Videz vos étagères de la plupart de leurs livres, brûlez vos cartons vides, mettez au rebut tous ces systèmes de rangement et bannissez-les à jamais de votre univers.

Les vêtements

> « Tout homme passe, aux yeux du monde,
> pour être tel qu'il se montre. »
> Adolph VON KNIGGE

Habits, linge, lingerie, vêtements de sport, de brico-lage, de jardin, de ménage, d'intérieur, de cérémonie, uniformes... comme pour les livres, nous gardons tant, comme si se défaire de certaines pièces était abandon-ner un peu de soi ! Mais à quoi bon porter quelque chose que l'on n'aime pas pour finir de « l'user » ou par sentimentalisme ? Avec un tel raisonnement, on peut user sa vie à « user » ce qui n'est que médiocre.

Chaque journée de la vie doit être vécue le mieux possible, car chaque journée compte. Débarrassez-vous de :

• Tout ce qui est vieux (qui ne s'est pas senti plein d'assurance avec un bel habit neuf et qui ne s'est pas senti déprimé dans un vieux vêtement fatigué ? Si vous voulez changer, cessez de porter sans cesse vos vieux habits, les résidus de vos vieux soucis et misères y adhèrent encore ; un vêtement neuf, lui, vous libérera, vous rendra l'esprit plus alerte. « Faire peau neuve », c'est se débarrasser des émanations usées du passé).

• Tout ce qui n'est plus « vous », votre style, votre âge.

• Tout ce que vous n'avez par porté durant l'année écoulée (admettez-le : si, au bout d'un an et au fil des saisons, vous n'avez toujours pas porté votre veston indien, n'est-il pas temps de lui dire adieu ?).

• Tout ce qui n'est plus à votre taille (si vous n'estimez pas possible de perdre ces dix kilos qui vous empêchent de porter une certaine partie de votre garde-robe. Sinon, reprenez-vous en main, et décidez d'une date butoir pour rentrer à nouveau dans ce jean que vous adoriez).

• Les tenues utilisées très rarement (à moins que vous ne fréquentiez un milieu ou que vous ayez un emploi où vous devez porter un smoking ou une robe de soirée régulièrement, il peut s'avérer judicieux de louer de tels vêtements plutôt que de les garder. De plus, certains vêtements très sobres, mais d'excellente qualité, peuvent, agrémentés d'une ceinture en strass ou d'une fleur au corsage, être utilisés en de multiples occasions).

• Tous les vêtements dont vous n'avez pas besoin au moins une fois durant un mois de chaque saison. Avez-vous remarqué que lorsque vous partez pour une semaine, vous vous débrouillez très bien avec ce que vous avez emporté ? Examinez de plus près si cette façon de vivre peut être possible dans votre vie quotidienne. Si vous ne possédiez ne serait-ce qu'un seul de tous les types de vêtements que l'on porte habituellement – un jean, un chemisier, un tee-shirt, une jupe, une robe, un cardigan… –, vous auriez probablement assez. L'industrie de l'habillement investit massivement afin de stimuler artificiellement notre envie d'acquérir de nouveaux vêtements en faisant varier la mode à chaque saison et en confectionnant des vêtements peu durables.

• Tous les vêtements « souvenirs » (nous avons besoin d'un certain nombre de vêtements, mais certainement pas des « vêtements souvenirs » qui nous suivent depuis, parfois, des décennies, comme la robe que nous portions le jour où nous avons rencontré notre mari…).

L'achat de vêtements n'est généralement limité que par le budget, ou, idéalement, la prise de conscience de ce qui est réellement nécessaire et approprié. Constituez-vous une garde-robe hors mode, sur des valeurs sûres que rien ne ride. Vous vous construirez ainsi votre liberté. Vous vivrez ce que vous voulez être. Voici une liste d'indémodables « essentiels » qui vous permettront de vous habiller adéquatement et convenablement selon les saisons et dans (presque) toutes les occasions, et vers lesquels vous retournerez toujours (vous pouvez vous permettre de petits hauts très peu chers pour l'été que vous jetterez une fois la saison passée) :

• un bon trench-coat avec doublure amovible pour le froid ;
• un manteau demi-saison ;
• deux ou trois jeans ;
• une chemise en coton blanc cintrée (à faire tailler chez un tailleur de chemises pour hommes) ;
• quelques tee-shirts blancs et de qualité eux aussi ;
• quelques pulls à col roulé en cachemire de la meilleure qualité ;
• une robe ou une jupe noire pour les soirées ;

• un ou deux beaux ensembles veste-pantalon à porter également séparés.

Une fois que vous aurez acquis une telle garde-robe (cela peut prendre des années, car la dépense n'est pas légère), oubliez la mode et passez à autre chose ! Ayez la même exigence dans votre recherche d'une qualité vestimentaire que dans celle des autres domaines de votre vie (logis, nourriture, relations…). Que votre luxe à vous soit de ne jamais transiger. Prendre le temps de dénicher ce que l'on veut, ce n'est pas gaspiller son temps, ce n'est pas afficher son compte en banque. Êtes-vous assez riche pour acheter de la mauvaise qualité ? Un vêtement est une sorte d'acquisition qui, si elle est intelligemment faite, portera ses fruits au cours des années. De plus, acquérir de beaux atours est une des composantes du bien-être psychique. Acheter un vêtement dans lequel on se sent bien et beau met de la lumière dans notre regard. Ce qui compte, c'est de porter vos vêtements, et de désirer pouvoir les porter. Ne soyez pas un « mannequin » qui porte les vêtements. Que ce soit votre vrai moi qui transparaisse, pas celui que vous voudriez représenter.

Les bijoux et les parfums

Diminuez le nombre de bijoux et de différents parfums que vous possédez. Ne posséder qu'un seul parfum et un ou deux bijoux suffit. Il est tellement libérateur de ne posséder qu'une belle paire de diamants aux oreilles que l'on porte en permanence ! De plus, ceux qui nous entourent éprouvent, à notre contact, un sentiment de sécurité. En retrouvant notre parfum, les mêmes bijoux sur nous, ils nous « retrouvent » plus facilement.

Les produits de soins, de beauté

En ce qui concerne les produits de toilette, de soins (peau, cheveux, soins des mains et des pieds, maquillage, etc.), évitez les tailles de bouteilles et flacons « jumbo » comme les « taille voyage ». Mettez sans hésiter les petits morceaux de savon à moitié fondu ou les produits non utilisés depuis une année à la poubelle. Comme les aliments, les produits de soins et de beauté périmés ne sont pas bons pour nous. Quant aux échantillons distribués en parfumerie, leur jolie petite taille leur assure que nous ne les utiliserons pas. Ils peuvent alors voyager tranquillement d'une trousse à un tiroir, ou vice versa. De plus, ils sont distribués pour nous faire acheter davantage. Pas de pitié : poubelle. Et puis, souvenez-vous : il est tellement plus agréable et aisé de prendre soin de soi avec peu de produits !

Les produits de pharmacie

Quelques comprimés d'aspirine et de pansements adhésifs, un anti-inflammatoire, un désinfectant, un antidouleur, des bandages…, ces quelques « essentiels » devraient constituer la base d'une armoire à pharmacie personnelle, et non des médicaments à usage temporaire périmés ou dont le traitement a pris fin. Rapportez tout cela à la pharmacie qui saura quoi jeter et quoi redistribuer à des organismes.

Le kyu kyu bukuro

Le zen a influencé chaque Japonais en lui inculquant (entre autres) le devoir d'être toujours prêt à faire face aux aléas de la vie, en ne comptant que sur soi-même et en ne faisant pas de dépenses inutiles causées par manque de prévoyance ; la plupart des Japonaises possèdent dans leur sac à main un *kyu kyu bukuro*, ce petit sachet en coton contenant un ou deux pansements adhésifs, une épingle de nourrice, du fil et une aiguille, un ou deux cachets contre la migraine, une minuscule paire de ciseaux, une pince à épiler... En tant que Française, j'ai ajouté dans le mien un peu d'essence de lavande pour les petites coupures, les piqûres d'insectes, un aphte, une brûlure... (Lire le livre de Jean Valnet sur les multiples usages des huiles essentielles, ces petites merveilles du minimalisme).

Les sacs

De plus en plus de femmes préfèrent s'habiller de vêtements à prix accessibles, tout en faisant une folie pour un accessoire qui enrichit l'ensemble de leur silhouette. Si posséder un seul sac est, sinon impossible, du moins difficile lorsque l'on travaille ou que l'on voyage, ne posséder strictement et seulement que les sacs dont on a vraiment besoin est un art.

Trois sacs, un grand, un moyen et un petit, peuvent remplir pratiquement toutes les fonctions et suffire dans toutes les situations :

• Le petit sac de tous les jours « passe-partout »

Certains objets nous sont indispensables tout au long de la journée : lunettes, portable, clés, porte-monnaie, agenda comprenant son carnet d'adresses, tabac, mouchoirs, rouge à lèvres, médicaments… Ce sac-là devrait toujours être petit (style baluchon ou pochette) et en permanence à portée de main, même en regardant la TV chez soi. Il se glisse alors dans de plus grands sacs réservés à des activités particulières (sport, voyage, week-end…) ou est utilisé seul (promenade du chien, courses, restaurant…). Exercez-vous à cet art ultime du minimalisme qui consiste à avoir tout sous la main à n'importe quel moment du jour ou de la nuit, chez vous comme au bureau, en voyage ou lors d'une escapade imprévue, sans pour autant vous charger (500-800 grammes pour ce qui est cité ci-dessus). Le secret ? Des objets légers, de volume réduit, pensés et choisis avec la plus grande minutie, mais aussi beaucoup de sens pratique, d'ingéniosité et d'amour pour l'ordre et l'organisation (quelques feuilles de chéquier dans son portefeuille ou son agenda, un petit porte-monnaie, un étui à lunettes en cuir souple, un portefeuille nettoyé régulièrement de tous les reçus inutiles, les cartes de visite rassemblées par un élastique…). Repenser tous ces détails oblige à repenser un à un tous ses gestes, ses choix (payer par chèque, en liquide ou par carte, tenir des comptes ou faire confiance au hasard d'un billet de banque oublié au fond d'une poche, avoir un seul mais parfait rouge à lèvres ou quatre tubes utilisés en mélange, où et quand se maquiller afin de ne pas passer son temps à transvaser les cosmétiques de la salle de bains au sac – utilisez des produits à multiples fonctions tels que les crèmes couleur pour les lèvres, les pommettes et les yeux, un seul crayon eye-liner et sourcils –, posséder un portable, un appareil numérique ou se contenter de son téléphone fixe et prendre des notes plutôt que des photos...), mais ce sont tous ces petits objets du quotidien qui nous rappellent à nous-même, nous accompagnent partout. Ils ont leur importance.

Tout ou presque peut être plus léger, esthétique et fonctionnel ; et la récompense vaut la peine de prendre la chose au sérieux : tout avoir toujours sous la main évite tant de pertes de temps, de stress et de mésaventures !

• Un sac de taille moyenne

En Nylon ultraléger mais solide pour le sport, un week-end, (complément de la valise), ce sac peut contenir aussi une pochette comprenant tout ce dont on a besoin lorsqu'on passe ne serait-ce qu'une nuit hors de chez soi : un pyjama de voyage, un set de sous-vêtements (les voyageurs accomplis lavent leur petit linge et le roulent dans une serviette-éponge pendant qu'ils se brossent les dents pour l'essorer un maximum), un réveil de voyage, un peu de cirage (c'est en voyage, où l'on marche beaucoup, que l'on pense le plus à cirer ses chaussures, d'autant plus que quand on est à l'hôtel on doit être « soigné »), quelques somnifères (pour trouver le sommeil en cas de décalage horaire, même si l'on n'en prend jamais chez soi), un masque pour les yeux et des boules Quies pour dormir en toute sécurité, une grande pochette transparente (pour rassembler les documents de voyage, cartes, brochures, notes...), et une paire de chaussettes de laine épaisses en guise de chaussons dans l'avion ou en cas de froid la nuit. Voyager léger ne signifie pas voyager démuni et imprévoyant de tous ces petits détails auxquels on ne pense pas en temps normal. Ensuite, il suffit de rajouter à ces « constantes » du voyage ce dont vous aurez besoin selon les occasions.

• Un grand sac de voyage ou une valise

Pour chacun de vos voyages, faites une liste de ce que vous emportez et rectifiez-la au fur et à mesure des mesures à réviser (choses qui n'ont pas servi, choses qui manquaient). Après quelques voyages et quelques erreurs, vous voyagerez parfaitement équipé tout en restant léger. Une valise intelligemment remplie peut simplifier bien des situations. Nous emportons 300 à 400 % de plus que ce dont nous avons besoin en déplacements, ce qui ralentit notre rythme et génère de la fatigue, entravant chaque pas du chemin à parcourir.

La prochaine fois que vous serez coincé dans une chambre d'hôtel, videz votre valise sur le lit et observez ce que vous avez en excès. Et s'il vous manque quelque chose, vous le trouverez probablement près de votre hôtel. S'alléger de l'excédent dans ses bagages lors d'un périple peut être un bon début pour se débarrasser de tout l'excédent dans sa vie. Reconsidérez également le type de cadeaux que vous rapporterez. Pourquoi, au lieu de rapporter des cadeaux à vos proches, ne pas leur offrir des spécialités du pays dans lequel vous êtes allé et leur raconter votre voyage ?

Les équipements de sport

Débarrassez-vous de tout équipement de sport ou d'athlétisme que vous n'avez pas utilisé au cours de l'année. Donnez-le, vendez-le… S'il n'est pas utilisé, il se dégradera, de toute façon, avec le temps. Et d'autres, plus performants, auront été inventés d'ici là. Vos désirs de reprendre la planche à voile ou le canoë ne sont peut-être plus que les désirs de revivre le passé. Est-ce bien réaliste ?

Le matériel de bricolage ou de jeux

Donnez tout le matériel de bricolage et d'arts plastiques, les jeux ainsi que les appareils qui n'ont pas été utilisés au cours de l'année. Si vous n'avez pas encore reverni cette table de toilette antique qui attend depuis trois ans, utilisé votre vélo d'exercice (le plein air est tellement plus sain !), donnez-les si quelqu'un les veut, ou portez-les dans une déchetterie. Ne gardez que ce que vous utilisez régulièrement.

Les collections

Timbres, papillons, soldats de plomb ou dés à coudre, tout cela relève de passe-temps bien futiles. Les papillons dans la nature, les coquillages sur le sable, dans leur milieu naturel, sont tellement plus beaux !

Vous ne posséderez de toute façon jamais tout. Collectionner, comme accumuler, est une activité la plupart du temps révélatrice d'un désir de possession, de contrôle du monde matériel. Une passion, certes, mais n'y a-t-il rien de mieux à vivre que de passer son temps à amasser, à acheter, à chiner, à vouloir que les choses soient à soi, rien qu'à soi ? Offrez vos collections à des musées, à des associations, pour que d'autres personnes puissent profiter, elles aussi, de ce que vous considérez comme fascinant.

DOCUMENTS, PAPIERS, PHOTOS ET LIVRES

Les papiers administratifs

Malheureusement pour ceux qui veulent se débarrasser d'un maximum de choses, les documents administratifs sont impossibles à jeter. On doit garder à vie ses quittances de loyer, fiches de paie, factures, diplômes, contrats de travail, papiers concernant la santé, points retraites, déclaration de revenus… Mais tout cela, minutieusement et régulièrement classé, peut tenir dans un petit carton. Un des domaines dans lesquels vous pouvez éviter trop de paperasserie est le domaine bancaire. Payez le plus possible en liquide. Évitez les emprunts autres que ceux de votre maison ou investissements « vitaux », ainsi que toutes sortes de services « financiers » qui sont un véritable business visant, lui aussi, à profiter de votre argent, de votre ignorance et de votre sentiment d'insécurité.

Options d'emprunts, cadeaux publicitaires, points de crédit sur les achats… nos boîtes aux lettres appellent au secours : « videz-moi, dites-leur de cesser ! » Vous pouvez, dans ce domaine également, agir en :

• ne conservant qu'un seul compte et en fermant tous les autres ;

• refusant toute documentation publicitaire ;

• refusant les services proposés (versement automatique) ;

• reconsidérant les assurances santé, vie dont vous avez besoin ;

• n'utilisant les chèques que si vous le devez et en payant tout le reste comptant (moins de découverts à la fin du mois, moins de flou dans vos comptes) ;

• ne conservant qu'une seule carte de crédit (utile pour réserver une chambre d'hôtel ou réserver un TGV sur Internet) ;

• vous débarrassant des cartes qui servent à accumuler des points (si ceux-ci ne vous reviennent pas sous forme d'argent) ;

• ne conservant que les reçus qui font garantie à la fois.

Durée de conservation des objets

TOUTE LA VIE
• Le livret de famille
• Le livret militaire et les pièces qui le complètent
• Les diplômes
• Le contrat de mariage
• Les titres et règlements de copropriété

- Les factures des travaux, réparations ou achats d'une certaine importance
- Les testaments
- Les livrets de caisse d'épargne
- Les engagements de location et les baux
- Les polices d'assurance et les preuves de leur résiliation
- Tout ce qui concerne les pensions civiles et militaires
- Tout ce qui concerne la retraite
- Tout ce qui concerne la santé : carte de groupe sanguin (sur soi), carnet de santé, certificats de vaccinations, carte de Sécurité sociale, dossiers médicaux : radiographies, analyses, certaines ordonnances…

TRENTE ANS
- Les quittances et pièces justificatives de paiement de toutes indemnités en réparation d'un dommage
- Reconnaissance de dette civile

DIX ANS
- Les devis et marchés des architectes et des entrepreneurs
- Factures EDF/GDF et preuves de paiement
- Reconnaissance de dette commerciale

SIX ANS
- Les déclarations de revenus
- Les copies de renseignements fournis à l'administration des Finances
- Les avertissements du percepteur
- Les preuves de paiement de vos impôts

CINQ ANS

• Les pièces justificatives de paiement des intérêts de toutes sommes dues en vertu d'un prêt ou autrement, des arrérages de rentes, des pensions alimentaires, des cotisations de Sécurité sociale et d'allocations familiales, des allocations de chômage

• Les doubles des bulletins de paie de vos employés émargés par eux

DEUX ANS

• Les quittances de primes d'assurance

• Factures de téléphone et preuve de leur paiement et les récépissés de transport

SIX MOIS

• Les notes d'hôtel, de restaurant et de pension et la justification de leur règlement

DOCUMENTS DONT LA DURÉE DE CONSERVATION EST VARIABLE

• Les bulletins de salaire (jusqu'à liquidation de votre retraite)

• Les contrats de travail et louage de service (pendant toute la durée du contrat et deux ans après sa résiliation)

• Les bons de garantie (pendant la durée de celle-ci)

• Les devis (jusqu'à l'établissement de la facture)

• Les dossiers scolaires de vos enfants (jusqu'à la fin de leurs études et même après)

• Les souches de carnets de chèques bancaires et postaux, les talons des mandats et les virements, les reçus et les quittances (ainsi que les factures auxquelles ils se rapportent) le plus longtemps possible

• Les quittances de loyer, l'état des lieux de votre logement, pendant toute la durée de la location et jusqu'au remboursement du dépôt de garantie

• Les contrats de prêts : dix ans après l'expiration du contrat

• Les factures : aussi longtemps que vous gardez l'objet acheté

Les documents

Quant aux documents, on dit qu'une personne lit au minimum huit feuilles par jour. En fait, ce qui est imprimé nous vole la moitié de notre temps : journaux, documentation de travail… À quoi bon garder tant de lecture alors que nous sommes incapables de mettre la main sur ce dont nous avons besoin au moment voulu ? À quoi bon garder ce que nous ne relirons probablement jamais ? N'oubliez pas qu'en ce qui concerne ce qui est imprimé, il n'y a pas de « plus tard », il n'y a que des « plus ».

Un truc : mettez tout ce que vous avez à lire dans un sac que vous emporterez en sortant de chez vous, et que, pendant le temps des transports pour aller au bureau, par exemple, vous trierez au fur et à mesure de votre lecture en déchirant immédiatement ce qui vous semble inutile (pour ne pas avoir à y revenir par la suite) et en arrachant seulement les pages qui vous intéressent. Ou prenez des notes de l'essentiel et débarrassez-vous du document lui-même. Utilisez aussi le scanner, si vous voulez absolument conserver certains documents, articles de presse ou extraits de livres. Annulez tous les abonnements à des revues, clubs de livres ou magazines que vous n'avez pas le temps de lire maintenant. Choisissez vous-même ce que vous désirez lire, et cela, quand vous en avez le temps.

Les livres

> « Les livres ? Des livres de poche ; une fois lus, liquidés. »
> Natsuki IKEZAWA, *La Vie immobile*

« Je veux bien tout jeter sauf mes livres » ; « J'ai l'impression que chacun d'eux porte une part de mon énergie, et me séparer d'eux serait perdre une partie de moi-même » ; « Ils sont une chose sensuelle, ils ont une odeur, on tourne leurs pages en les caressant, il n'est pas rare que j'en prenne un dans la main pour l'emmener en promenade ; j'ai avec lui un contact qui dépasse de loin celui de la matière » : voilà les réticences de nombreuses personnes à se séparer d'une partie de leur bibliothèque.

De tout ce que nous possédons, la chose la plus difficile à « réduire » est probablement notre bibliothèque. Nos livres sont sacrés, ils représentent notre trésor, font office de compagnons de vie, nous suivent partout, même dans nos déménagements à l'autre bout du monde. Nous y inscrivons notre nom, de peur qu'une fois prêtés ils ne nous reviennent pas. Que serions-nous sans eux ? Ils sont la preuve vivante de notre savoir, nos porte-parole, ils représentent une partie de ce que nous sommes. Alors, d'abord, pourquoi vouloir s'en séparer ? Si les raisons pour lesquelles nous y sommes attachés sont légitimes, il est aussi un fait que nous ne réalisons souvent pas : nous nous en entourons pour nous rassurer. Les livres font partie de notre cadre de vie de même qu'ils structurent notre mental. Ils sont autant nos remparts psychologiques que nos murs de salon. Et nous qui prônons tant la liberté, nous y sommes attachés. Attachés ! Les livres représentent à toutes sortes de niveaux la sédentarité. Ils peuvent nous scléroser sur nos fauteuils comme dans nos idées. Atavisme, prétextent les uns ; peur de ne plus être soi, de perdre ses connaissances, ses références, ses repères, redoutent secrètement les autres. Que représentent en réalité pour nous ces milliers d'écrits ?

Les livres ne devraient que jouer un rôle de documentation. Nous comprenons les choses « intellectuellement » mais nous n'en saisissons véritablement le sens que quand nous en avons trouvé les échos dans nos propres vies. Les meilleures leçons que nous avons apprises sont généralement celles tirées des expériences du vivant, des moments difficiles. Pas des livres.

Si nous voulons évaluer honnêtement les mérites de nombreux livres, nous nous rendons compte que nous pensions qu'ils étaient vraiment bien lorsque nous les avons achetés mais qu'en réalité, une seule lecture était suffisante. Alors pourquoi encombrer son existence de livres que nous ne relirons jamais ? Nos intérêts changent. Rares sont les livres qui demeurent pertinents à nos yeux toute une vie. Autrefois, ils étaient peu nombreux et précieux. De nos jours, ils n'ont plus autant de valeur. Ils pèsent lourd et prennent de la place. Pensez-vous que le fait d'apprécier un livre doive obligatoirement devenir une possession ? Nous serions plus légers dans la vie si nous transportions sur nous une carte d'abonnement à une bibliothèque plutôt que des livres.

Donnez tous les livres que vous pouvez, ceux que vous n'avez pas lus au cours de l'année, ceux que vous ne lirez plus ou ceux que vous n'avez jamais finis à une bibliothèque, une prison, un hôpital... Ils pourront en faire profiter de nombreuses personnes. Ne gardez que vos livres de références, d'art, ou ceux qui sont les plus représentatifs de votre essence. Ou bien encore détachez les pages que vous voulez garder et savourez la légèreté apportée. Cela éliminera les problèmes de dépoussiérage et de mauvaise conscience de ne jamais se mettre à ce fameux bouquin. Si vous possédez des livres destinés à apprendre « un jour » la guitare, l'informatique, le chinois, pourquoi ne pas garder, dans un premier temps, les livres de base seulement ?

Plus la vie passe, plus nous devons sélectionner avec rigueur nos lectures. Nos heures, nos yeux, sont précieux. Que cherchons-nous dans les livres ? Que cherchons-nous dans la vie ?

Ne gardez que vos « âmes sœurs ». N'accordez pas à chacun des auteurs lus plus d'importance qu'à une rencontre de passage.

Garder tous ses livres empêche de faire de l'espace en soi pour de nouvelles idées et de nouvelles manières de penser. Apprenez à vous en séparer l'heure venue. Offrez-vous le luxe de ne posséder que quelques ouvrages. Si vous hésitez encore, vous pouvez mettre de côté certains livres dans un carton pendant une année. Si vous n'êtes pas allé les reprendre pendant cette période, confiez le carton à un marchand de livres d'occasion ou à une bibliothèque publique sans l'ouvrir.

2

Les techniques

COMMENT PROCÉDER

Par où commencer ? (Les premiers pas vers le désencombrement pour les « peureux »)

« Après m'être demandée... si j'avais le droit de déchirer ce
qu'ils n'avaient pas
eux-mêmes jeté à la corbeille, après avoir tourné et retourné
encore quelques vieux papiers hors du temps entre les doigts, je
fus prise de la furie de jeter. Comme
un jardin devenu jungle, le bonheur de couper, d'élaguer, de
tailler dans le vif s'était emparé de moi. Je m'y livrai avec la
volonté de faire enfin le vide. Je précipitai ces bouts de papier
fanés dans d'immenses poubelles qui s'alourdissaient jusqu'à
en devenir insoulevables comme parfois la mémoire empêchée
de s'éteindre dans l'oubli. »
Lydia FLEM, *Comment j'ai vidé la maison de mes parents*

Si le désencombrement vous fait peur, si, en vous débarrassant de vos biens, vous craignez de manquer ou de subir un choc, il est possible d'entreprendre cet exercice tout en vous ménageant une porte de sortie.

Premièrement, choisissez un aspect de votre vie ou un endroit dans votre maison où vous pouvez vous permettre de faire l'exercice « en toute sécurité ». Par exemple, il se peut que vous ne vouliez pas vous attaquer d'abord à la cuisine ou au sous-sol. Il est tout à fait correct de ne pas faire toute une pièce. Débutez par les tiroirs du bureau de votre chambre ou le tiroir « fourre-tout » de votre cuisine. Attaquez-vous au placard à linge ou à un coin du garage. L'important est que vous commenciez quelque part maintenant.

Il est aussi important que vous soyez attentif à ce que vous êtes en train de faire et à ce que vous ressentez lorsque vous désencombrez cette part de votre vie. Si le fait de vous débarrasser de vieux clous, d'ampoules grillées ou de décorations de Noël brisées vous rend anxieux ou triste, prenez le temps d'analyser vos sentiments. Demandez-vous pourquoi de tels sentiments sont liés à ces objets en particulier. Si vous ressentez un soulagement, une impression de légèreté, un sentiment de liberté ou simplement du plaisir au fur et à mesure que votre placard à linge devient mieux rangé et moins encombré, appréciez ces émotions tout en continuant votre travail.

Commencez à vous désencombrer de choses qui vous sont extérieures, de biens matériels qui n'ont pas ou peu de signification émotive pour vous. Par la suite, vous pourrez travailler sur des choses moins matérielles, comme des souvenirs, des photos, des objets qui ont pour vous une plus grande valeur affective.

Attaquez-vous à un tiroir, une boîte…

Quand vous vous « attaquez » à un tiroir ou à une boîte plein de bric-à-brac, videz le tout sur une table ou sur un carré de tissu. Une réaction se produira lorsque vous verrez tout cela étalé au grand jour. Il vous sera alors plus facile d'en jeter 90 % du contenu plutôt que d'avoir à le remettre où il était avant. Ce qui demande le plus d'énergie et de courage, ce sont les objets sentimentaux, les souvenirs, les papiers. Mais tant de ces reliques n'attestent-elles pas de projets inachevés, d'illusions perdues, de plans abandonnés, de bonnes intentions oubliées, de négligences, d'oublis, d'échecs ?

Nettoyez au fur et à mesure

Faites le ménage complet de l'endroit que vous avez désencombré. Fermez le chauffage ou la climatisation et ouvrez toutes grandes fenêtres et portes. Balayez, lavez ou passez l'aspirateur. Faites irradier l'espace de vos nouvelles intentions. Puis prenez une douche ou un bon bain ou tout simplement lavez-vous le visage et les mains. Puis allumez des bougies, mettez des fleurs, invitez tous vos anges gardiens et guides spirituels à être présents et bénissez le lieu « purifié » en le remplissant d'amour et de lumière. Que cette séance de désencombrement vous laisse une sensation de paix, de propreté et de bien-être inoubliable. Cela vous incitera à dégager une autre partie de votre habitation.

Débarrassez-vous aussi vite que possible des grosses choses

Depuis combien d'années votre piano n'a-t-il pas été touché ? Soyez réaliste. Débarrassez-vous-en. Cela vous donnera tellement de place que vous vous attaquerez aux plus petites choses avec plus de courage.

La technique des cartons ou des sacs

> *« Chaque fois que mon regard*
> *et ma main considéraient quelque chose,*
> *un choix devait être fait. […]*
> *Des dizaines, des centaines, des milliers de fois,*
> *j'allais devoir évaluer un objet et décider*
> *de son sort : à la poubelle, à emporter,*
> *à donner, à essayer de négocier. »*
> Lydia Flem, *Comment j'ai vidé la maison de mes parents*

Est-il vraiment utile de garder des livres que vous ne relirez pas, un service à café ébréché, une chaussette esseulée ? Prenez-vous pour un directeur de casting et passez les indésirables au crible ! Soyez impitoyable : il en va de votre espace vital. Mettez les objets dont vous doutez de la nécessité dans un sac. Attendez aussi longtemps que possible pour voir en quelles circonstances cet objet vous manquera. Au moment où il vous manquera, avant de le ressortir du sac, demandez-vous s'il n'y a pas une autre solution.

Si vous pensez vous débarrasser d'un objet mais que vous vous y sentez encore attaché ou si vous n'êtes pas sûr de ne plus en avoir besoin, faites un essai.

Empaquetez-le soigneusement et entreposez-le dans un coin réservé à cette fin dans votre garage ou dans votre sous-sol. Inscrivez la date sur la boîte. Si vous n'êtes pas allé récupérer le contenu de la boîte au cours de l'année, vous pouvez lui dire adieu.

Préparez-vous au grand ménage : munissez-vous de cartons, de sacs-poubelle, de ruban adhésif pour « sceller » une bonne fois pour toutes ce qui doit sortir de la maison sans être tenté d'y revenir puis videz le contenu d'un placard, par exemple, et étalez-le au sol, devant vous, ou sur une grande surface (la table de salon, le lit – recouvert de sacs plastique…). Indiquez sur chaque carton ou sur chaque sac :

- À jeter
- À donner
- À revendre
- À recycler
- À rendre
- À faire nettoyer, réparer…
- En attente

Remettez ensuite dans le placard uniquement ce qui est à conserver, à condition que cela soit en parfait état et utilisable (pas de chemisier dont il manque un bouton, de cafetière qui ait besoin d'un nouveau couvercle…).

Plus vous jetterez, plus vous voudrez jeter. De chaque parcelle de votre univers désencombré se dégagera une nouvelle bouffée d'énergie qui vous permettra d'avancer en besogne.

Autorisez-vous un seul tiroir fourre-tout

Vous y rangerez :
• Les piles
• Les élastiques
• Les ciseaux
• Les papiers collants
• Les Post-it
• Le Scotch
• La ficelle
• Les lampes électriques…

Autorisez-vous seulement un tiroir débarras dans chaque pièce. Votre énergie sera plus vibrante que stagnante. Que ce tiroir soit petit, utilisé avec parcimonie et nettoyé régulièrement.

Le sac rangement « fourre-tout »

Autrefois, au Japon, chaque occupant de la maison avait son petit coffret à tiroirs personnel qu'il transportait de pièce en pièce afin de toujours avoir sous la main ses lunettes, son livre, sa paire de ciseaux ou son coupe-ongles. Gardez tous vos objets personnels dans un endroit unique. Mon vanity-case a longtemps joué ce rôle de « fourre-tout », mais je préfère maintenant un grand sac. J'y garde mon papier à lettres, mes carnets, documents… bref, tout ce qui m'est personnel. Ainsi rien ne traîne dans la maison et, vivant au Japon, je suis prête en cas de séisme ! Je n'ai pas à chercher dans quel tiroir j'ai laissé mon double de clés. Ce sac me permet également de ne pas accumuler plus qu'il ne peut contenir et d'éliminer ce dont je n'ai plus besoin automatiquement (reçus de téléphone vieux de six mois par exemple). Je n'ai pas droit au laisser-aller : s'il est trop plein, je cherche à savoir ce qu'il y a dedans qui ne soit pas strictement nécessaire.

Exposez les objets pour lesquels vous hésitez encore

Les objets qui ne servent pas, que l'on aime assez mais pas suffisamment pour vouloir les avoir en permanence sous les yeux (le vase offert lors d'un retour d'Égypte par une cousine, le cendrier en cuivre travaillé rapporté par votre fils lors de son premier voyage seul, en Tunisie), peuvent finir par tout simplement nous horripiler. La technique est simple : mettez-les dans un des endroits les plus centraux de votre salon. Soit vous vous en lasserez très vite et ils perdront tout leur charme, soit vous leur trouverez un endroit précis, comme une boîte à chaussures renfermant les « mal aimés », en attendant de vous débarrasser de la boîte elle-même une bonne fois pour toutes.

Limitez-vous à certaines couleurs

On dit que les personnes qui ont une couleur préférée et qui véritablement vivent avec sont plus performantes dans la vie que les autres, car elles savent ce qu'elles veulent et le mettent en pratique. Si vous aimez les couleurs neutres, par exemple, pourquoi ne pas faire de votre univers un dégradé de blancs, de gris, de noirs (literie, vêtements, vaisselle…) ?

Se limiter à certaines couleurs permet d'éliminer les couleurs ne se mariant pas entre elles. Tout sera ainsi plus harmonieux, esthétique et pratique (et facile à entretenir !). Une fois que vous aurez choisi vos couleurs, débarrassez-vous de tout ce qui est bariolé, à pois ou à petites fleurs. Quel plaisir que passer à l'eau de Javel tout son linge de maison et d'avoir une lessive immaculée ! Et puis, pourquoi garder ce foulard rouge si vous vous sentez mal à l'aise en portant cette couleur ?

Fixez-vous des limites par les nombres

> « Vous créez la simplicité en grattant par petits morceaux tout ce qui n'est pas réel, tout ce qui n'est pas utile, tout ce qui n'a pas de sens jusqu'à ce que, comme pour le David de Michel-Ange, tout ce qui vous reste de la vie soit d'une beauté à vous faire perdre le souffle. »
> Vicki ROBIN, Joe DOMINGUEZ, Your Money or Your Life

En ce qui concerne le linge personnel et les vêtements (chaussettes, tee-shirts, pantalons, petits hauts, etc.), le linge de maison (serviettes, torchons), vous pouvez choisir le nombre sept pour tout ce qui s'utilise au quotidien. Ce chiffre vous permettra d'éviter tout débordement en vous laissant une marge.

Quant à la vaisselle et aux choses réservées aux invités, qui a besoin de vingt-quatre couverts de nos jours ? Les grandes fêtes de famille sont de plus en plus rares, si ce n'est inexistantes. Beaucoup de personnes gardent cette vaisselle qu'elles n'utilisent que rarement et ont constamment peur de la casser. Celle-ci représente une sorte de talisman (de leur vie), souvent associé à un mariage, à des personnes disparues, à un cadeau reçu et elle est conservée comme si elle avait le pouvoir magique de perpétuer les liens familiaux ; mais ceux-ci se dissoudraient-ils sans de telles reliques ?

Partagez vos couverts de famille, vos sets de verres en cristal. Gardez par exemple sept pièces de chaque si vous ne voulez pas vous défaire de tout. À quoi riment les six, les douze ou vingt-quatre pièces de tous ces services ?

Pensez à ce que serait votre maison si vous n'aviez pas tout, ou presque, en double

> *« La maison nue… peu de choses,*
> *toutes très simples et élues dans leur pouvoir*
> *de disparaître à l'usage, peu de choses,*
> *mais à leur place dans un espace nu. »*
> Werner LAMBERSY, *Maîtres et maisons de thé*

Dès que les besoins de base sont remplis, ce qui n'est pas nécessaire commence à se transformer en encombrement.

Posséder une voiture au lieu de deux, une maison au lieu de deux permet de vivre dans un voisinage doublement plus luxueux, de qualité et agréable. Une seule catégorie de verres à vin, un pull, une jupe, un pantalon pour chaque occasion, un seul sac de ville, une seule voiture suffisent amplement. Combien d'objets possédez-vous en double ? Catherine, mon amie, me dit qu'avec plus d'un porte-monnaie elle perd ses esprits, et que si elle a plus d'une chose à laquelle penser, elle oublie ou perd les objets.

Ne posséder les choses qui vous sont nécessaires qu'en un seul exemplaire

« La possession implique des provisions pour le futur. »
Gandhi

Posséder tout en double rend-il plus heureux ? Combien de sacs à main, de porte-monnaie, de foulards, de bagues… possédez-vous ? Une personne possède environ de quoi pourvoir à trois ou quatre personnes. Un seul de chacun de ces objets vous suffirait amplement pour vivre normalement et agréablement. Mais nous ne savons choisir le meilleur, le plus pratique, le plus « passe-partout », le plus léger… et donc nous gardons tout car nous ne sommes parfaitement satisfait de rien. La philosophie du zen martèle sans relâche : « Un, et un seul ! » Voici quelques exemples de choses du quotidien que vous pouvez ne posséder qu'en un seul exemplaire :

• une huile (cheveux, peau, massages, ongles) ;
• une tenue de travail (ménage, jardinage, cuisine, bricolage) ;
• un parfum ;
• un rouge à lèvres assorti à un vernis à ongles (par exemple un beige rosé pour les lèvres, les mains et les pieds) ;
• un bijou aux oreilles, un à une des mains ;

• pour ces messieurs, un rasoir, un peigne, un toni-que (et encore) ;

• une couleur par tenue vestimentaire (haut, bas, chaussures) ;

• un agenda (contenant adresses, calendrier, menus, cartes de crédit, factures, reçus, etc.) ;

• une tenue d'hiver (manteau, bottes, chapeau, gants) ;

• une panoplie « week-end » demi-saison (veste en tweed, pantalon, chaussures, sac de week-end).

Regroupez les choses par catégorie et par famille

« Tout ce qui est contraire à l'essentiel doit être rejeté. »
Karlfried GRAF DÜRCKHEIM

Regroupez les choses par emploi, fonction, « famille ». Par exemple :

• Rangez tous les vêtements portés à la maison, le linge de nuit et de toilette dans un même endroit.

• Mettez tout ce qui concerne une seule fonction dans une seule et même trousse (médicaments, maquillage, produits pour les ongles...) et non dans des tiroirs, sur des étagères, dans le sac à main ou dans un tiroir de cuisine. Vous découvrirez probablement quatre ou cinq limes à ongles, deux tubes entamés d'aspirine, trois crayons pour les sourcils...

• Séparez les produits de soin (savon, shampoing, crème ou huile) des produits de maquillage.

• Vous pouvez aussi vous amuser à prendre une photo de chaque « famille » pour voir si tous ses membres sont en harmonie, comme si vous aviez à présenter pour une page de magazine le contenu idéal de la valise que vous emporteriez pour aller passer une semaine en Égypte, le plateau à thé pour recevoir des amis, la tenue idéale pour une balade en forêt un dimanche d'automne ou celle le long des quais de la Seine une matinée d'hiver enneigée. Posséder ce dont on a exactement besoin, et cela seulement, ne s'improvise pas : cela nécessite du temps et de la réflexion. Mais quelle récompense ensuite !

Faites-vous aider quand vous voulez jeter

Méfiez-vous des amis qui, lorsque vous faites du shopping ensemble, vous encouragent à acheter ce sur quoi vous vous extasiez ! Un vrai ami est celui qui essaie de vous freiner, vous conseille d'attendre, de réfléchir. On est si influençable par les personnes que l'on aime !

Lorsque vous voulez faire du tri chez vous, invitez un ami qui vous encourage à jeter, une personne qui elle-même possède peu. De plus, se faire aider par une autre personne pour jeter déculpabilise : si c'est elle qui a pris la décision pour vous, vous ne vous sentirez plus complètement « coupable » de vos actes. Demandez conseil à divers amis pour vous aider à vous débarrasser de certains objets : à l'une, experte en mode, pour vous convaincre de vous séparer des vêtements qui ne vous vont pas ; à l'autre, expert en cuisine, pour qu'il vous conseille sur les ustensiles inutiles, et les « trucs » des chefs (comme couper le persil dans un verre long et étroit avec des ciseaux).

Si vous n'avez plus la force physique de débarrasser de gros meubles, demandez à de plus jeunes, neveux, petits-enfants… de vous aider. Ils seront peut-être même ravis de recevoir en échange de leurs services des choses dont ils n'ont pas encore goûté l'inutilité. Laissez-les en faire l'expérience. On ne peut vivre dans le dépouillement et le dénuement sans amertume si l'on n'a pas déjà au moins « possédé ».

Partez faire un long voyage

> *« Quand je voyage, je transporte seulement*
> *les instructions de mon Gourou.*
> *Plus légères que des plumes, je les porte*
> *sur les épaules avec aisance.*
> *Plus pratiques que l'or, je les cache là où il me plaît. »*
> Milarepa

Si vous voulez vraiment changer votre vie, la désencombrer, retrouver un nouvel élan, le moyen le plus radical pour cela est de partir faire un long voyage. Ce procédé est fréquent aux États-Unis, où il n'est pas rare de rencontrer des personnes seules ou en couple disant avoir quitté leur travail, « liquidé » toutes leurs possessions et vendu leur maison afin de faire une pause dans leur vie pour se remettre en question. Certains s'achètent alors un mobile home et passent une ou plusieurs années à voyager à travers le pays, à lire, méditer, rencontrer des personnes d'univers différents.

Même si nous n'allons pas tous jusque-là, nous devrions nous offrir, au moins une fois dans notre vie, un ou deux de ces longs et grands voyages. Quitter sa maison pour une longue période oblige à la mettre en

ordre avant le départ, faire le tri de ce que l'on empor-
tera, et donc passer en revue ses possessions plus méti-
culeusement que d'ordinaire. La fébrilité des joies du
départ aidant, c'est le moment idéal pour vider le plus
possible de choses, surtout si vous prêtez ou louez
votre maison pendant votre absence.

Tentez l'expérience. Fermez votre porte à clé et
dites-vous que tout ce qui reste à l'intérieur fait partie
du passé. Quel merveilleux sentiment !

Déménagez dans une plus petite maison

> *« Les petites pièces ou petites demeures*
> *mettent l'esprit sur le droit chemin,*
> *les grandes sont la cause de la dérive. »*
> Léonard DE VINCI

Plus nous désencombrons, plus nous découvrons
que nous avons besoin de moins de meubles, d'aires
de rangement, ou de pièces et d'espace pour vivre.
Videz vos meubles, jetez ou donnez-en le contenu (ou
essayez de le revendre). Une fois qu'ils seront vides,
vous n'aurez peut-être même plus envie de les garder.
Votre maison sera alors probablement trop grande
pour vous. Pourquoi ne pas alors quitter un appartement devenu trop grand pour un autre plus petit, plus
cossu, plus clair et ensoleillé, plus confortable, dans
un quartier animé ? Cela vous apportera un nouveau
souffle de vie. Vous pouvez aussi utiliser le reste de
l'argent de votre grande maison revendue pour faire
de nouvelles expériences, réaliser des travaux de
menuiserie dans votre nouveau « nid » ou entrepren-

dre un long voyage. Cela vous permettra également de réduire considérablement les frais liés à l'habitation (impôts locaux, entretien, assurances, chauffage…). Vivre dans un appartement vide et clair, peu encombré, n'est pas le privilège des plus dotés. Beaucoup de personnes âgées continuent à vivre seules dans une maison où logeaient quatre, cinq ou six personnes auparavant. Et elles gardent tout, comme pour s'accrocher à leur passé. Mais l'endroit dans lequel chacun vit devrait être adéquat à ses besoins.

Un lieu agréable contribue à augmenter la qualité de la vie. Parfois, changer de lieux peut redonner un tout autre sens à la vie.

Et puis, avez-vous acquis ce logis pour vous ou pour vos objets ?

LES BONS MOMENTS POUR AGIR

Les moments dans lesquels il faut agir sans tarder

Nos buts, nos aspirations, nos rêves changent d'heure en heure, de jour en jour, de semaine en semaine. Quand une idée vous vient à l'esprit, c'est probablement le moment approprié de la mettre en pratique. La pensée elle-même s'est présentée à ce moment précis parce qu'elle était nécessaire. Dès que vous sentez qu'un objet n'a plus de raison d'être en votre possession, n'attendez pas, agissez. Interrompez ce que vous êtes en train de faire pour lui réserver le sort qui lui revient. Si vous vous contentez de mettre cette chose au fond d'un placard, cette chose continuera à vous encombrer matériellement et mentalement et vous aurez à y revenir. Votre subconscient sera alors « taxé » d'une partie de ses ressources d'énergie. Cette chose finira par moisir dans votre esprit, l'infester, lui imposer un fardeau de chaque instant. Si vous réalisez que vous n'avez pas touché à votre clarinette depuis plusieurs années, le fait de vous sentir obligé de l'utiliser, que vous en ayez envie ou non, va se mettre à vous peser. Éliminez-la une fois pour toutes, mettez-la en vente par les petites annonces, emportez-la dans un centre de recyclage ou donnez-la à une école de musique. Si vous laissez traîner les choses, soit elles commenceront à vous peser, soit elles ne viendront jamais à maturité. Débarrassez-vous de tout ce qui ne contribue pas à votre qualité de vie, à votre santé ou à votre apparence maintenant. Il n'y a pas d'après parce qu'il n'y a pas de place pour cela dans votre vie. Votre énergie diminue à chaque fois que vous vous dites que vous devez faire quelque chose et que vous ne le faites pas. Alors si vous avez décidé de vous débarrasser de quelque chose, faites-le sans attendre. Cela vous allégera mentalement : l'idée sera définitivement sortie de votre tête et vous aurez plus d'énergie pour d'autres choses.

Jeter avec les saisons

> *« Les fleurs du printemps, la brise d'été,*
> *les feuilles d'automne, la neige de l'hiver…*
> *si vous y êtes complètement accordé,*
> *c'est la meilleure saison de la vie. »*
> Proverbe chinois

Ajustez-vous au rythme des saisons. Comprenez que l'hiver est le bon moment pour vous tourner vers votre moi intérieur, réparer les choses, vous départir de celles qui sont usées, qui ne servent plus. Au printemps, c'est l'époque des choses nouvelles, il y a une nouvelle énergie dans le soleil, les fleuves, les fleurs en bourgeons. Un grand ménage se fait ressentir. Puis c'est l'été, l'époque des récoltes. Récupérez l'argent de ce que vous avez mis en vente. En automne, en regardant les feuilles tomber, laissez tomber aussi certaines choses de votre vie (idées, choses – elles sont stagnantes –, peines de cœur...). Dites-vous : « Oui, je peux me défaire des choses. Je n'ai pas besoin de m'y accrocher. Elles sont devenues obsolètes. » Vendez, jetez, donnez, recyclez.

Prendre ses décisions le matin

Le meilleur moment de la journée, le plus dynamique, le plus propice au nettoyage et au désencombrement, c'est le matin. Ces premières heures matinales sont à une journée ce que le printemps est à une année.

En colère ? Le moment idéal pour vider vos placards

Lorsqu'on est hors de soi, les objets n'ont plus d'importance et on y attache moins de valeur sentimentale qu'en temps normal ; il est alors facile de mettre au panier ceux dont nous avions envie de nous débarrasser jusqu'alors sans en avoir tout à fait le courage. Jeter aide aussi à se calmer et à envisager de nouvelles perspectives. Se départir de l'inutile matériellement aide à se dégager de blocages émotionnels.

Être « zen », c'est faire suivre la pensée d'un acte

> *« L'homme ne doit pas être un plasma*
> *mais une action, un acte qui prend forme*
> *chaque jour. Au désert, tout cela,*
> *ce sont des évidences. Le concret et le sacré*
> *sont mêlés de manière naturelle.*
> *Il existe d'instinct un exorcisme de l'inutile. »*
>
> Théodore MONOD

Il nous est à tous arrivé, à un moment ou à un autre, de nous retrouver face à une situation urgente appelant à agir sans même prendre le temps de réfléchir, comme de se précipiter pour rattraper un enfant s'élançant sur la chaussée. En de tels instants, nous savons instantanément et instinctivement ce qu'il faut faire.

Jeter, nettoyer, se désencombrer, n'est pas plus difficile. Souvenez-vous du sentiment de liberté et de légèreté ressenti à l'instant même où vous avez jeté à la poubelle un objet qui vous encombrait mentalement et matériellement depuis longtemps. Vous vous dites alors que ce n'était pas si difficile et que cela ne valait pas la peine de se tourmenter. Tout est si clair, « après » !

C'est ce que le zen enseigne : se contenter de laisser la vie nous apporter ce qu'elle a à nous apporter et réagir quand elle nous y invite. Être « zen », c'est agir ainsi à chaque instant de la vie : porter son attention, s'arrêter sur tout ce qui se présente autour de soi ou en soi dans le moment présent. C'est agir spontanément. Une fois qu'une décision est prise, passez à l'acte immédiatement.

Ce qui prend du temps et de l'énergie, c'est de ne pas faire les choses, de les reporter. Faire suivre immédiatement une pensée par une action permet de vivre avec cette sorte de dynamisme qui rend véritablement « vivant ». En retour, la vie s'ouvre à soi. Plus que des rêves et de bonnes intentions, c'est agir, concrètement et immédiatement, qui mène à la connaissance et à la sagesse. Agir, c'est comprendre que la sagesse ne peut s'acquérir que par la pratique et la mise en œuvre des pensées.

Il ne s'agit pas vraiment d'apprendre à être heureux avec moins, mais plutôt d'apprendre à être heureux autrement.

Les décisions qui nécessitent un temps de réflexion

> *« La simplicité est un goût qui s'acquiert.*
> *L'Homme, laissé libre, d'instinct complique sa vie. »*
> Katharine FULLERTON GEROULD

Le désencombrement nécessite, dans certains cas, une période de désinvestissement affectif de plusieurs mois, voire de plusieurs années. Tout dépend des raisons pour lesquelles vous avez accumulé. Comme pour un deuil, fixez-vous alors une date butoir. Psychologiquement, cela vous aidera à accepter l'idée de vous séparer des objets de la personne disparue, et le processus se mettra alors inconsciemment en route dans votre esprit ; vous vous surprendrez peut-être même à désencombrer avant même la date fixée !

Quant à jeter un objet qui a coûté cher, pondérez, pensez, attendez. Mettez-le de côté. L'idée de vous en défaire se sera installée dans votre tête, telle une petite graine. Cette force en vous est en train de pousser, de se développer. Éventuellement, vous arriverez à faire disparaître cet objet de votre vie, malgré la valeur (marchande ou ancienne) qu'il représentait.

Attendre ou ne pas attendre ?

> *« La fin de l'année.*
> *Tous les problèmes*
> *De ce monde flottant balayés. »*
> BASHÔ, haïku

Faites-vous généralement partie de ceux qui « attendent » ? Combien de temps, dans votre vie, avez-vous passé à attendre ? Attendre les vacances, un meilleur job, le grand amour, la richesse, le bonheur, attendre de devenir « éveillé » spirituellement un jour ? Fondamentalement, attendre signifie vivre par anticipation, se projeter dans le futur au lieu de vivre dans le présent, désirer ce que l'on n'a pas, tout en ne profitant pas de ce que l'on a. Mais si attendre est un sentiment pénible, ce n'en reste pas moins qu'un état d'esprit : attendre peut aussi être une occasion de profiter de la vie, d'« être », simplement. Tout dépend de la qualité de votre conscience à ce moment-là. Cette qualité est essentielle : c'est elle qui aide à s'ancrer en soi, à ne pas se laisser entraîner dans le flot sauvage de projections futures, à habiter son corps entièrement. Cette qualité est nécessaire à la sérénité. Seulement, pour cultiver cette qualité, il ne faut pas se laisser encombrer par des futilités. Au-delà de notre horizon présent existe quelque chose d'ineffable, de profond, mais qui ne peut être nommé.

Exercez-vous à attendre sans attendre ; mais pour cela, ne vous aveuglez pas de tout ce qui ne fait pas partie de l'essentiel matériellement.

Pas le temps de faire le tri ?

Pas de temps, dites-vous ? Mais vous avez bien le temps de dépoussiérer, arranger, réarranger, déplacer, aller faire du lèche-vitrines ou les soldes ! Dépensez votre temps à purger vos placards, vos tiroirs… au lieu de déplacer toutes ces choses inutiles dans un autre endroit puis d'aller une fois de plus traîner dans les centres commerciaux. Pourquoi passer son temps dans des lieux qui ne sont faits que pour vous démunir de votre argent, et cela dans la foule, le bruit et l'énervement ? Il y a tant d'autres occupations stimulantes, reposantes, rafraîchissantes, enrichissantes comme rencontrer des personnes chères, s'asseoir à la terrasse d'un café, se promener dans un parc, classer ses photos, faire des compilations de ses CD, éditer ses programmes de télé avant de les regarder…

Profitez d'un voyage pour jeter

Lorsque vous partez en voyage, emportez les vêtements usés ou des produits de toilette à moitié utilisés que vous jetterez au fur et à mesure (pyjama, tee-shirts, chaussettes, tubes de rouge à lèvres presque vides…).

Vous pouvez aussi emporter un sac de documents à trier, un carnet d'adresses à refaire, les feuilles arrachées de magazines contenant des articles que vous n'avez pas encore eu le temps de lire, faire toutes sortes de listes (projets futurs, bilan de vie personnel, nouvelles résolutions…). En voyage, tout particulièrement, nous avons de nombreux temps morts (attente d'un avion, d'un train…) et être ailleurs, en pays inconnu aide à se « réveiller », à prendre conscience de tout ce qui reste inaperçu en temps normal.

DONNER, RECYCLER, JETER OU VENDRE

Donner : un acte de charité ?

> « Comme pour toute autre chose
> dans ce genre de travail, comme celui
> de la méditation, vous devez complètement vous investir et
> devenir un avec ce que vous faites.
> C'est la même chose pour donner les choses.
> Quelle que soit la petitesse de la chose en termes de valeur, il
> faut être parfaitement impliqué dans l'acte de donner
> afin qu'une part de son propre ego
> soit lui aussi donné. »
> Chögyam TRUNGPA, *Méditation et action*

Donner est bon et généreux, mais tout dépend des raisons pour lesquelles on donne. Soyons honnête avec nous-même si nous voulons l'être avec les autres. Reconnaissons notre laxisme, notre faiblesse face à la société de consommation. Nous donnons bien souvent, il faut l'admettre, par égoïsme, pour ne pas nous sentir coupables du gâchis que nous commettons. Les plus démunis ont-ils réellement besoin de nos rebuts ? Ne serait-ce pas plus pertinent de les aider à s'en sortir, à regagner leur dignité, leur fierté, leur envie d'atteindre un niveau de conscience et de vie qui leur permette de ne plus attendre quoi que ce soit des autres ? Ce qu'il faut, c'est leur donner les outils pour forger leur bonheur. Ce ne sont pas des statuettes en plastique ou des assiettes dépareillées dont les plus démunis ont besoin, mais d'un logement, d'un travail, de respect, de sécurité.

Certaines de vos possessions peuvent cependant apporter de l'aide aux personnes qui n'ont rien. Passez au peigne fin tout ce que vous n'utilisez plus et donnez ce que vous avez en excès. Une des solutions les plus simples, les plus rapides, est de déposer ce dont vous n'avez plus besoin dans la rue, au pied de votre immeuble. Livres, chaussures, vaisselle, petits meubles… tout partira en un temps record.

Donner apporte un soulagement extraordinaire et un grand bonheur. C'est un moment de grâce. En donnant, vous échangez ; vous recevez en donnant. Ce que vous offrez, c'est plus qu'un objet, c'est de l'amour, du bonheur. Après avoir donné, vous jouirez d'un sommeil plus léger, peut-être même que certains maux physiques disparaîtront aussi. Vous adorerez ce petit morceau de vide qui s'ensuivra !

Recyclez, revendez, soyez renseigné

« Je me mis en quête d'étudiants ne possédant encore à peu près rien et ayant besoin de quasiment tout. Je leur proposai d'emporter tout ce qu'ils souhaitaient emmener. Ébahis mais ravis, ils embarquèrent tout dans le désordre… Ils s'en allèrent chargés et heureux. J'étais légère. »
Lydia FLEM, *Comment j'ai vidé la maison de mes parents*

Le recyclage donne une seconde chance à des objets devenus inutiles et dont on n'arrive pas à se délester. Ce qui vous est inutile peut servir à d'autres, du moins jusqu'à ce qu'ils comprennent, après avoir possédé cet objet, qu'il était pour eux aussi « à recycler ». À moins d'avoir déjà possédé soi-même, comment savoir que cela ne rend pas plus heureux ? Il faut avoir possédé pour vivre « simplement » ou, du moins, ne plus se sentir pauvre et défavorisé sans presque rien.

Donnez ou recyclez toute chose que vous n'utilisez pas couramment dans votre vie quotidienne.

Faites la liste des dépôts-ventes, salles des ventes, ventes sur Internet (demandez à des jeunes de votre entourage de vous aider, en contrepartie d'un pourcentage sur les ventes, par exemple), hôpitaux et œuvres caritatives auxquels donner. Renseignez-vous auprès de votre mairie, des centres d'organisation de l'aide mondiale…

Grâce au désencombrement, nous pouvons rendre disponibles des biens matériels, ou du moins, des ressources recyclables qui peuvent être utiles ou avoir une valeur pour d'autres. Ne préféreriez-vous pas recycler les douze caisses de bouteilles vides entas-

sées dans le garage et recouvrer un peu d'espace ?
N'est-il pas plus raisonnable que les vêtements que
vous ne porterez plus servent à vêtir quelqu'un qui en
a besoin plutôt qu'à encombrer votre garde-robe ?

QUE FAIRE EN CAS DE DILEMME ?

Qu'est-ce que faire le tri ?

Dans le flot d'infos, de messages, de désirs, de produits d'une « époque TGV », nous devons faire le tri
afin de nous préserver et de mener une vie riche et
intéressante. Faire le tri, c'est l'art de comparer, peser
le pour et le contre. Alors commencez par sortir vos
six couteaux de cuisine, vos dix parapluies, choisissez
votre préféré dans chaque catégorie et débarrassez-
vous du reste.

Congédiez tous ces inutiles et paresseux, comme le
vélo d'intérieur, le tourne-disque, ce tableau triste, le
pouf marocain « avachi », cette paire de ciseaux
rouillée... et ne gardez que vos « bons serviteurs ».
Plus vous avancerez dans la lutte contre l'encombrement, plus vous verrez ressortir de nouveaux objets
jamais utilisés dont vous n'aviez même jamais soup-
çonné l'existence. Votre récompense sera le soulagement. Nous payons tant en énergie mentale à nous
trouver des excuses pour avoir acquis tous ces biens
inutiles qui nous encombrent maintenant, qui nous
ont coûté financièrement et émotionnellement, et dont
nous ne savons que faire à présent !

Nous possédons aussi certaines choses depuis si longtemps que nous ne nous posons même plus la question de savoir si elles ont toujours une quelconque utilité. Il faut s'être débarrassé d'une chose pour réaliser à quel point elle était inesthétique et inutile. D'autres nous sont tellement familières que nous les voyons dix fois par jour sans le remarquer. Tout ce qui bloque dans la vie restreint, amenuise (habitudes, choses, gens, personnes, endroits, titres…) et empêche d'aller de l'avant. Même si une chose est utile mais qu'elle ne vous plaît pas ou qu'elle pourrait être plus pratique, ergonomique, légère…, n'hésitez pas à l'échanger pour une autre de qualité supérieure. Le moindre objet prendra alors de plus en plus de valeur et de signification. Et lorsque l'on ne possède que très peu d'objets, on peut se permettre d'acquérir les meilleurs.

À ce stade-là, « faire le tri » ne sera non seulement plus une corvée, mais sera une véritable passion d'esthète !

Dans l'indécision…

« Si tu n'es pas content à 100 % du produit, je dis bien 100 %, tu le recommences. Ce goût de la perfection est unique. »
Un couturier à son assistant

En règle générale, si vous avez la moindre hésitation en ce qui concerne le fait de garder quelque chose ou pas, c'est que cette chose n'a pas sa place près de vous, qu'elle n'est pas faite pour vous ou que vous n'en avez pas trouvé le juste usage. Vous vous en débarrasserez probablement tôt ou tard. Autant trancher maintenant. Pourquoi attendre et perdre votre énergie ? Le problème n'est pas de savoir si vous pouvez l'utiliser ou non, mais si vous l'utilisez. Vêtements, voitures, ordinateurs, outils, meubles, petits articles… presque tout se multiplie de nos jours et le nombre incalculable d'options et de choix complique encore plus nos décisions.

Si vous pensez que vous regretterez d'avoir jeté cet objet plus tard, essayez de trouver une solution à sa disparition. Puis n'y pensez plus pendant quelque temps. Une réponse viendra d'elle-même.

L'encombrement des autres

« Je transformais mon garage en lieu d'archives,
j'y montais des mètres
et des mètres de bibliothèque, alignais les boîtes, dossiers,
chemises qu'ils avaient eux-mêmes conservés au fil du temps :
les correspondances et les souvenirs
côte à côte avec les extraits de banque,
les factures de téléphone et d'électricité,
les primes d'assurance ou les doubles des feuilles
d'impôts. Ils avaient tout,
tout gardé depuis trente ans, quarante,
parfois cinquante années et plus. »
Lydia Flem, *Comment j'ai vidé la maison de mes parents.*

Sujet délicat… Tout dépend de l'ampleur de l'accumulation de l'autre, de sa personnalité, et du degré de patience que vous avez. Mais il est en général impossible de jeter les possessions d'autrui si cette personne ne peut ou ne désire le faire elle-même ; à moins qu'elle ne vous le demande.

De nombreuses personnes gardent les choses parce qu'elles souffrent de solitude ou de blessures enfouies (voir la partie consacrée à ce problème). On ne peut les faire souffrir plus en les forçant à jeter leurs objets chéris. Elles seules, si elles souffrent maintenant de leur encombrement, sont aptes à comprendre que tout l'empire que semblent avoir sur elles leurs objets ne leur a été attribué que par elles et elles seules. Elles seules peuvent donc prendre la décision de se désencombrer par une façon différente de penser et d'agir. Si elles acceptent de croire qu'elles ont le contrôle des choses, elles doivent comprendre que moins elles en seront dépendantes, plus elles seront libres. Si elles gardent des objets pour remplacer une personne et combler le vide laissé derrière elle, cela ne comblera pas le vide. Au contraire. Cela les éloignera encore plus des autres puisqu'elles auront remplacé la personne disparue par autre chose : ses objets.

Nous ne pouvons en aucune façon juger à la place des autres de la valeur de leurs possessions. Cette valeur est étroitement liée à leurs émotions, leurs propres rêves, leur histoire et la force des liens qui les rattachent à elles. Nous pouvons seulement les guider et leur demander : « Est-ce que ceci rehausse ta qualité de vie ? Est-ce que ce vêtement te va ou t'ira à nouveau ? Posséder cet objet t'inspire-t-il, t'apporte-t-il du bonheur et de l'enrichissement ? »

De plus, en allant faire le vide chez les autres, vous risquez de revenir chez vous avec ce qu'ils ne veulent plus (une fois de plus, attention aux pièges de ce qui est gratuit !).

Les scrupules

« L'argent et les choses superflues sont les envoyés du diable.
S'associer à ces choses est pernicieux.
Renoncez-y ainsi qu'à toutes les autres choses
qui vous attachent. »
Milarepa

Gardez-vous cette veste offerte par une personne aimée, mais qui s'est détendue et que vous n'avez plus de plaisir à porter par sentimentalisme ou par peur de décevoir la personne qui vous l'a offerte ? Les objets, et en particulier les vêtements, ne sont pas éternels. Cette veste vous a servi plusieurs mois, plusieurs années, vous pouvez vous en défaire à présent. La personne qui vous l'a offerte serait désolée de savoir que vous vous tracassez tant à son sujet. Dites-vous aussi que les vêtements que vous ne portez pas ou plus jamais sont devenus des étrangers dans votre maison. Il faut les en chasser.

Yugen, ou vouloir posséder ce que l'objet représente

« Même à Kyoto
En entendant l'appel du coucou
Je m'ennuie de Kyoto. »
Bashô, haïku

Yugen est un concept japonais esthétique exprimant le mystère profond des choses. Souvent, lorsqu'on veut un tableau, c'est ce qui s'en dégage, ce qu'il représente, que nous désirons, et non le tableau lui-même. La forme de ce qui est désiré est dans le désir lui-même.

Si c'est l'idée de posséder une œuvre signée, par exemple, qui vous fait hésiter à la garder alors qu'elle ne vous plaît pas tellement, demandez-vous si ce n'est pas l'idée seule d'avoir une chose de valeur qui vous fait la garder. Si telle était votre raison, revendez-la. Elle sera mieux à sa place ailleurs, entre les mains de quelqu'un qui l'apprécie vraiment.

Ne vous séparez pas des choses si c'est à regret

Quelqu'un se plaignait à Gandhi de ne pouvoir se séparer de ses livres. Celui-ci répondit : « Alors, ne vous en débarrassez pas. Tant que vous retirez une aide intérieure et du réconfort de quelque chose, vous devriez le garder. Si vous vous en débarrassez en ayant l'impression de faire un sacrifice, vous le regretterez toujours. Ne vous débarrassez de quelque chose que quand vous voulez absolument obtenir une autre condition de façon que cette chose ne fasse plus partie de ce qui vous attire, ou que cela semble interférer avec ce que vous désirez encore plus. »

Gandhi disait que se séparer de ses choses à regret n'est pas bon, mais que vouloir être libre des ennuis de la propriété est facile : il suffit de se défaire de ses possessions.

Les erreurs d'achat

« La personne qui n'a jamais fait d'erreur ne fera jamais rien d'autre. »
George Bernard SHAW

Vous pensiez que cet objet vous plairait jusqu'à votre dernier souffle, mais ce n'est pas le cas. Reconnaissez donc que vous avez fait une erreur d'achat. Sans erreurs d'achat, comment apprendre à reconnaître la qualité, à identifier nos besoins véritables et nos goûts ?

Ne gardez pas non plus les choses uniquement parce que vous les avez payées cher. James Joyce disait que les erreurs sont les portes de la découverte. Ce n'est pas la valeur marchande d'un objet qui fait son prix mais la joie qu'il vous apporte au quotidien. Les choses n'ont de valeur que parce que nous les désirons. Si cet objet ne vous offre pas la joie proportionnelle au prix que vous l'avez acheté, si ce n'est pas ce que vous aviez en tête ou quelque chose qui vous plaît vraiment, c'est qu'il ne vaut plus la peine d'être gardé. Un proverbe yiddish dit que chaque erreur d'achat est le prix à payer pour sa liberté vis-à-vis des choses et pour reconnaître la qualité et la nécessité. Pourquoi, en plus d'avoir fait une erreur, s'imposer d'en payer les conséquences en regrets et en punition ? L'expérience, n'est-ce pas ce que nous appelons l'accumulation de nos erreurs ?

Entre les deux (les trois), mon cœur balance…

> *« Plus on a, moins on possède. »*
> Maître ECKHART

Si vous hésitez à choisir entre deux objets ayant le même emploi, c'est que ni l'un ni l'autre ne vous convient parfaitement. L'idéal serait de les jeter tous les deux. Mais la raison vous en empêche ? Alors commencez par un. Dans peu de temps, ce soulagement vous aidera à régler le même sort à l'autre : « Je garde ce plateau parce qu'il est beau, parce qu'il est ancien… », mais pas plus que le premier, vous ne l'utilisez. « Et si un jour je déménageais ? » Eh bien, dans ce cas-là, vous auriez toutes les brocantes pour vous en offrir un autre encore plus beau ! En attendant, vous n'avez pas à devenir le gardien de ces objets inutilisés. Le petit plateau que vous utilisez tous les jours est l'élu de votre cœur. Il a donc des qualités cachées et c'est lui qui vous suivra probablement le plus longtemps dans votre vie.

Ce sont la plupart du temps les objets dont nous nous servons tous les jours qui sont les meilleurs. Ils ont des raisons d'être utilisés que la raison ne connaît pas forcément.

Dites-vous aussi que les goûts, les besoins, tout change. Il est donc normal de ne pas vouloir garder des choses que l'on aimait quand on les a achetées, mais qui ne correspondent plus maintenant à nos besoins.

Si vous avez trois théières parce que vous aimez les théières…

Tous les prétextes sont bons pour les garder toutes les trois, ou plutôt vous ne sauriez laquelle garder. On peut faire tous les thés dans une seule théière (sauf si l'on est un passionné de cette boisson, et que l'on consomme des thés rares de plusieurs couleurs, auquel cas, plusieurs théières sont nécessaires), et il faut donc garder la plus pratique, celle qui se patine le mieux, celle qui convient à tous les thés. C'est elle qui sera votre compagne de vie. On aime d'autant plus sa théière qu'elle est unique. Si l'on en a deux, on hésite toujours à savoir celle que l'on préfère. Et si l'on utilise les deux, chacune d'entre elles se patine deux fois moins vite. Comme dans les auberges de campagne japonaises si reposantes et accueillantes, gardez votre plateau à thé toujours prêt à offrir une boisson chaude sans avoir à ouvrir tous les placards pour préparer un thé. Le plateau, la théière, la boîte à thé, quelques tasses et leurs soucoupes suffisent. Les tasses réservées aux invités peuvent rester dans le buffet.

Ceux-ci aiment d'ailleurs toujours retrouver les mêmes choses chez les autres. Cela les rassure. Il faut toujours un moment pour s'adapter à un environnement nouveau, et à des objets nouveaux. Offrez donc deux de vos trois théières à des personnes qui apprécient vraiment le thé. Surtout si vous leur rendez souvent visite ! Vous aurez le plaisir de les admirer régulièrement.

Le paréo

Je possédais depuis longtemps un magnifique paréo acheté dans un des magasins de luxe de Bangkok, mais je ne l'avais jamais porté. À chaque fois que je le voyais dans le tiroir de ma commode, je me disais inconsciemment : « Quand est-ce que j'aurai l'occasion de le porter ? Je pourrais l'utiliser comme un sarong la nuit, drap de pique-nique… La dernière solution serait (je cherche à ne plus avoir le moindre regret) de le porter en châle l'été. Je le passe alors sur mes épaules et me regarde dans le miroir : ces grands motifs floraux ne sont décidément pas mon style ! Je constate donc que je ne m'en sers et ne m'en servirai probablement jamais. On peut ainsi passer en revue toutes ses possessions. Il y en a tant qui appartiennent à la catégorie des « et si un jour… », attendant là, tous les jours de l'année, comme de malheureux chômeurs !

Dites-vous aussi que vous avez eu du plaisir à faire cet achat. Un plaisir comme un autre, dont il reste le bon souvenir (comme le souvenir d'un concert, d'une balade en voiture…). Des plaisirs doit rester le souvenir. Pas forcément les preuves matérielles.

Si j'ai une occasion d'aller à la plage (que je n'apprécie pas, de surcroît), il y aura probablement des paréos à vendre dans les parages. Adieu, paréo !

Pour des objets utilisés si peu souvent (une fois tous les trois ans, et encore – ce n'est qu'une supposition), rien ne sert de se casser la tête. Jetez-les une bonne fois pour toutes : ni témoins, ni remémorations de vos erreurs, faiblesses, ou folies d'un instant auxquelles chacun de nous a succombé un jour ou l'autre.

Le bol d'Ikkyu Sojun (1394-1481)

On dit qu'Ikkyu Sojun, le plus grand maître de thé de tous les temps, avait vendu sa fortune pour un bol à thé.

Si vous gardez les choses parce que vous les trouvez belles mais aussi parce que vous savez que votre bourse ne vous permet pas plus, défaites-vous-en.

Vous pouvez toujours économiser pour vous offrir un jour le meilleur. Il vaut mieux avoir de beaux rêves que du concret médiocre.

J'ai réussi à me défaire de chacun de mes ustensiles de thé chinois (passoires, bols verseurs, cuillères en bambou pour prendre les feuilles dans le pot, pots…) en en ayant vu de plus beaux ailleurs. Jusqu'au jour où j'ai réalisé que le prix des belles choses est sans limites et qu'elles appartiennent au monde des collectionneurs ou des musées. J'ai ainsi pu arrêter ma folle escalade et reste à présent fidèle à ce que j'ai, qui s'est patiné, et que j'aime un peu plus chaque jour. Quand l'envie me prend de voir de très belles choses, je vais dans les musées, les beaux restaurants ou dans des paysages de rêve. Je me contente de vivre dans un lieu dépouillé en compagnie de mes rares et vieux « compagnons de route ».

Ayez vos propres repères

> *« Un peu de simplification serait*
> *le premier pas vers un système*
> *de vie rationnel, je pense. »*
> Eleanor ROOSEVELT

Jadis, bien que les gens possèdent bien moins qu'aujourd'hui (excepté quelques riches nobles…), ils vivaient dans plus d'ordre, de propreté et… de santé mentale. Les six pots dans la cuisine (farine, sucre, thé, café, sel, poivre) étaient bien utiles. Au Japon, le plateau à thé avec tout son nécessaire, recouvert d'une petite serviette blanche pour protéger de la poussière (que l'on retrouve encore dans chaque chambre des merveilleux hôtels traditionnels), reste le vestige d'une époque où chaque geste du quotidien était pensé, où chaque objet avait sa raison d'être, où le rationnel, le pratique, le « solide », l'ergonomique passaient avant les caprices de la mode, de la surproduction et du consumérisme. Nous nous sommes débarrassés trop vite de siècles et de siècles de savoir-faire et de civilisation, au sens profond du terme. N'oubliez jamais vos propres repères, la vie idéale que vous aimeriez avoir. Gardez avec vous, si nécessaire, une liste de « raisons pour éliminer ». Elle pourrait ressembler à ceci :

• C'est l'argent qui prend le moins de place.

• N'aspirer qu'au meilleur et n'y faire aucune concession.

• Privilégier la liberté de posséder peu au plaisir de varier.

• Prendre soin des objets entraîne de sérieuses pertes d'énergie en émotions, stress, et efforts physiques.

• Avec trop, on ne peut agir rapidement et efficacement au moment voulu.

L'art du *kufu* : un art au sommet des moyens renoncés

> *« Avoir ce que l'on veut est signe de richesse,*
> *mais être capable de faire sans, c'est la force. »*
> George MacDonald

Le *kufu* est un autre concept zen souvent employé au quotidien. C'est l'art de faire avec les « moyens du bord » dans toutes les situations. C'est composer un repas avec les restes du réfrigérateur, plier ses vêtements dans un foulard attaché aux quatre coins lorsqu'on n'a pas d'endroit où les mettre ou de sac pour les transporter, mettre deux pulls l'un sur l'autre au lieu de courir dans un magasin s'en acheter un plus chaud dès que les températures se rafraîchissent.

Le kufu, c'est utiliser son imagination pour parvenir à un but sans avoir besoin de se procurer quelque chose de supplémentaire, et apprécier ce que l'on a en l'employant du mieux possible, en évitant ainsi le gaspillage.

Plus que les objets eux-mêmes, c'est la grâce et l'élégance avec lesquelles on vit qui, au Japon, est un art. Comment vivre avec peu et de peu s'apprend : prendre les choses dans l'état où elles sont et en tirer le meilleur parti ; faire d'un lieu petit et ingrat, appartement spartiate, un logis confortable et chaleureux. Le zen prône même de restreindre les trois « besoins vitaux » que sont l'habillement, la nourriture et le sommeil. Cette autodiscipline, enseigne-t-il, permet de faire face à n'importe quel type de situation en ne déployant exactement et strictement que le juste effort (ni trop, ni pas assez) et apprend à se contrôler afin de faire face à n'importe quel danger, qu'il soit extérieur ou en nous (passion, jalousie, lassitude de vivre…).

Le zen insiste sur le fait que tout but peut être atteint avec les moyens du bord, à condition de garder son esprit en éveil.

Que faire des objets à valeur sentimentale ?

> *« Rien qui m'appartienne*
> *Sinon la paix du cœur et la fraîcheur du ciel. »*
> Kobayashi Issa, haïku

Décision difficile, lourde et douloureuse à prendre que celle qui concerne les objets du passé, les souvenirs, et tout ce qui a une valeur sentimentale !

Comme pour les livres ou les documents administratifs, il faut agir avec prudence : faire le ménage dans sa vie par le vide est souvent souverain, mais on ne peut mettre à la poubelle ses racines et son passé. Heureusement d'ailleurs !

Certains objets et souvenirs ont construit notre identité et même si l'on pense que faire table rase de son passé paraît bon sur le moment, on peut regretter d'avoir jeté certaines choses. Cela dit, on n'est pas obligé de tout garder. Une sélection de ses trésors est un juste milieu. Vous pouvez par exemple conserver une ou deux « boîtes à trésors » dans lesquels glisser les quelques souvenirs qui ont le plus de valeur sentimentale pour vous (cadeaux de proches, missives, souvenir d'enfance…). Mais limitez-vous à un minimum de ces « écrins à mémoire », et souvenez-vous que ce qui est essentiel dans la vie n'a rien à voir avec le monde matériel.

Quand vous faites le tri de ce qui doit rester ou partir, n'oubliez pas que ce n'est pas le nombre de mois ou d'années, ou bien la valeur marchande ou l'origine d'un objet qui doit déterminer votre choix. Le temps que vous avez possédé un objet est immatériel. Deux minutes peuvent être trop longues et vingt années pas assez. Ne conservez pas ces choses qui ne vous apportent rien. Certaines ont été aimées à une période de votre vie mais ne le sont plus. Elles ne doivent donc pas être une entrave à votre présent et encore moins à votre futur. Plus la quantité des possessions personnelles que vous voulez garder sera modeste, moins vous en serez esclave. Le passé est là pour nous donner un enseignement, pas pour nous figer dans son souvenir.

Les souvenirs

Inutile de garder vos 258 tickets de cinéma pour vous souvenir des films vus et de la date de leur projection ! Faites confiance à votre mémoire. Elle garde la plupart de nos souvenirs. Si vous souhaitez conserver une trace concrète des événements de votre vie, prenez l'habitude de faire, entre autres, une liste des films que vous avez vus. Au besoin, vous trouverez des informations complémentaires sur Internet. Dans un agenda, réservez des pages individuelles pour noter vos listes de films vus (classés par année), livres lus, expos, musées, lieux visités…

Quant aux cadeaux offerts par des personnes chères qui ne vous plaisent pas vraiment, les souvenirs achetés ensemble avec un amour d'été, n'hésitez plus : les garder n'est pas la seule façon de leur démontrer que vous leur restez attaché ou que vous avez vécu dans votre vie de grands moments d'amour. Vous pouvez « condenser » vos souvenirs sentimentaux en les préservant à travers les mots. Lorsque vous écrivez dans votre journal intime, vous gardez la preuve avec vous que vous existez. En ce qui concerne ces objets sentimentaux, faites de même. Défaites-vous-en puis notez ce qui vous en reste comme : « Les deux chemises polo de T., la bleu pâle et la vert kaki : preuve que j'ai tout aimé de lui, son apparence, sa manière de s'habiller, son parfum. Preuve que nous avons passé ensemble de merveilleux week-ends et que pourtant les choses ont mal tourné. »

Quant à ces objets à trois sous achetés dans un souk marocain, ne pensez-vous pas que la lumière des soirs d'été et les parfums des thés à la menthe de ce pays ne les valaient pas ?

Lettres et correspondance ancienne

Vous ne pouvez pas jeter le carton de cartes postales que vous envoyait votre grand-mère de son vivant ? Ces vieilles lettres d'amour ? Ceux qui conservent ce type de correspondance le font parce qu'elle les renvoie à des moments de leur existence dont ils ont la nostalgie et qu'ils considèrent meilleurs que le présent ; c'est pour cela qu'ils tiennent à la garder. Dites adieu et débarrassez-vous de tous les articles reliés à des chapitres de votre vie qui sont définitivement terminés. Nos vies sont continuellement en changement. Toute chose poursuit son chemin vers ailleurs.

Si vous relisiez vos vieilles lettres d'amour, vous en seriez probablement rouge de honte, maintenant. Les souvenirs que l'on a en mémoire sont tellement plus précieux ! Et puis, à quoi bon continuer avec les souvenirs de ceux qui nous ont quittés pour toujours, errer dans leur monde et négliger celui des vivants ?

Oubliez ce que vous avez perdu de votre passé car vous ne pouvez modifier celui-ci, alors que la formation de votre avenir vous appartient entièrement. Dites adieu aux cartes d'anniversaire d'amis oubliés, aux souvenirs de voyages des uns ou des autres.

Vous pouvez, en faisant le tri de vos lettres, en garder une ou deux d'un ami de votre enfance qui vous font toujours autant rire, mais jetez celles d'un amour perdu parce que enfin le temps a fait son œuvre et que son écriture de pattes de mouche n'a plus le don de vous émouvoir. Jetez celles des correspondants du monde entier, qui sont passés comme des étoiles filantes, avec leurs histoires tristes ou gaies, leurs motivations parfois saugrenues pour correspondre ; certaines personnes sont tellement seules qu'elles vont chercher à l'autre bout du monde des gens pour leur faire la conversation. En revanche, gardez celles que vos parents vous adressaient, surtout si elles étaient rares et aimantes.

Les photos

Les photos, elles aussi, peuvent être une des pires formes de désordre et de fouillis qui existent et qui soient à trier. Ne gardez que les meilleures et jetez les autres. Vous pouvez aussi en donner ou en envoyer comme cartes postales. Vous aurez plus de plaisir à regarder un album unique résumant votre existence, et à partager ce plaisir avec des amis ou des parents.

Débarrassez-vous aussi bien sûr des exemplaires en double ou des photos qui se ressemblent. Les négatifs sont inutiles de nos jours : on peut faire des duplicatas de ses photos n'importe où. Quant à celles que vous n'aimez pas, retirez-les de vos albums. Chaque photo, comme les objets, émet des fréquences. Ne gardez que celles qui vous apportent du bonheur. Éliminez également celles qui n'ont pas vraiment de sens : un coucher de soleil vu de l'avion ou des moutons en Irlande n'ont rien de bien original. Seules les vieilles personnes ont peut-être besoin de leurs photos pour se raccrocher à quelque chose, à leur vie. Et encore… je connais un charmant monsieur de quatre-vingt-dix ans qui a eu la sagesse de ne conserver qu'une boîte à chaussures des photos de sa jeunesse, classées par thèmes : « Amis », « Famille », « Amours ». « À quoi bon tout garder, me dit-il. Qui ces vieilles photos intéresseraient-elles ? » Et il me montre lentement chacune d'elles, religieusement, la commentant en me racontant sa vie. Que de sagesse, que de simplicité, que de plaisir ! Inutile de dire que Robert, même à son âge, s'intéresse à tout, adore les sushis, et dit ne pas avoir peur de la mort. Il a eu une très belle vie.

3

Après s'être désencombré

ATTENTION À NE PAS RE-REMPLIR

« La nature a horreur du vide »

> *« Pénombres fraîches de pièces retirées.*
> *Le thé, le crapaud, la brume…*
> *quand fume sur le bol l'eau battue doucement*
> *d'un blaireau de bambou racontent le savoir par l'épure. »*
> Werner LAMBERSY, *Maîtres et maisons de thé*

Après avoir enfin fait le vide faites attention à ne pas remplir à nouveau les espaces que vous avez eu tant de mal à dégager. Le vieil adage « La nature a horreur du vide » peut se concrétiser… Imprégnez-vous de la nouvelle sensation de liberté et de clarté que ces espaces qui viennent d'être dégagés vous apportent. Sentez-la, savourez-la. Peu à peu, l'effort de ne pas réencombrer deviendra une sorte d'instinct et une seconde nature.

Les gens qui ont goûté aux joies du minimalisme retombent rarement dans un mode de vie encombré. Ils ont enfin compris que de ne pas rapporter chez soi des choses que l'on ne désire pas non seulement crée de l'espace autour de soi mais en soi. Ils ne tiennent plus à se laisser envahir. Cette nouvelle liberté est trop agréable. Ils savent maintenant que dès que les besoins de base sont remplis, ce qui n'est pas nécessaire est l'équivalent d'« ordures ».

Videz périodiquement toute une pièce, un placard, votre réfrigérateur. C'est la meilleure technique pour voir ce qui s'y est insidieusement infiltré à votre insu, même si vous êtes très vigilant.

Attention à l'attrait de la nouveauté

> « Un jour de brume
> La grande pièce
> Est déserte et calme. »
> Kabayashi Issa, haïku

Lorsque nous voyons quelque chose de nouveau, lorsque nous entrons dans un bel appartement qui nous fait rêver, nous ne réalisons pas assez que ces choses, ces lieux perdent souvent de leur attrait après les avoir acquis ou occupés. Ce qui compte le plus, c'est le rapport que nous avons avec nos possessions et notre environnement ainsi que la paix et le bien-être qui s'en dégagent.

Faites savoir à votre entourage que vous voulez cesser de recevoir et de faire des cadeaux

« Le ballot que je portais sur mes maigres épaules osseuses était la cause de mon inconfort premier pendant ce voyage. J'avais eu l'intention de partir simplement comme j'étais ; cependant un kimono pour me protéger du froid, un manteau de pluie, du matériel pour écrire, etc. – toutes ces choses reçues de mes amis comme cadeau d'adieu, je ne pouvais les laisser, mais elles étaient nécessairement une cause d'inconfort et de contrariété tout le long du chemin. »

BASHÔ

Que faire au moment de Noël, des anniversaires à souhaiter ? Peut-on revenir de voyage sans des petits souvenirs pour chacun sans donner l'impression d'être incompris, jugé froid, indifférent, radin ? Parlez à votre entourage de votre désir de vivre avec moins. Expliquez-leur votre nouvelle philosophie et ce que vous avez déjà réalisé pour la mettre en œuvre. Profitez-en alors pour leur faire connaître vos nouvelles intentions, à savoir que vous ne voulez plus rien et que vos cadeaux préférés sont des articles consommables (champagne, parfum, fleurs…). Ajoutez (pas trop lourdement, mais néanmoins fermement) que vous allez appliquer le même principe lorsque, vous, vous ferez des cadeaux désormais. Insistez sur le fait que vous ne voulez plus faire des cadeaux qui, selon vous, ne sont que des obligations sociales ou culturelles que la société de consommation encourage pour son propre profit.

Décrétez que, désormais, vous offrirez quelque chose de plus original et de plus « utile » comme une séance chez le coiffeur, un soin en institut, un repas au restaurant (pour faire découvrir la cuisine du pays dont vous revenez), quelques heures de ménage par une équipe professionnelle, une séance de massages à domicile, etc.

Les cadeaux indésirables viennent parasiter notre environnement. Si vous les gardez pour faire plaisir à ceux qui vous les ont offerts, vous perdez de votre propre énergie. À chaque fois que vous entrez dans une pièce et que vous voyez cet objet, votre taux d'énergie baisse un peu. Même si vous gardez cet objet dans un placard, votre subconscient vous rappelle que vous l'avez en votre possession. Ce n'est pas l'objet qui compte, mais la pensée de l'avoir. Vous pouvez apprécier de recevoir le cadeau sans pour autant le conserver. Donnez la liberté aux autres de faire ce qu'ils veulent de vos cadeaux et vous, apprenez à ressentir la même chose. Vous ne pouvez sacrifier votre tranquillité d'esprit aux bonnes intentions d'autrui. Seuls des cadeaux offerts par des enfants encore trop jeunes pour comprendre sont à conserver. Du moins pour un moment... En donnant quelque chose à quelqu'un, dites toujours : « Tu es libre de le jeter ou de le donner. Il me suffit que tu aies accepté mon présent. »

Méfiez-vous de ce qui est gratuit

N'acceptez pas ou ne rapportez pas de choses chez vous parce qu'elles sont gratuites. C'est justement cela que vous avez en trop maintenant. Payer de son temps en efforts, encombrer son espace vital, veiller à ce que tout soit en état de marche n'est pas « rien », n'est pas gratuit. Le poisson qui mord à l'hameçon, c'est vous. Cure-dents, stylos, serviettes en papier, sachets de sel et de poivre, de ketchup et de sucre récupérés dans les restaurants, les hôtels, les avions… pas étonnant que vos tiroirs soient pleins à craquer !

La télévision, la radio, Internet nous répètent sans cesse que nous avons besoin de quelque chose. Il est si facile d'accumuler, d'emmagasiner comme… les rats ! Tous ces petits riens gratuits s'insinuent chez vous sous forme de cadeaux, règlements à crédit, prix spéciaux, bonus, héritages, nouveaux projets d'achat. Ne prenez pas ou n'utilisez pas quelque chose seulement parce que c'est là ! Parce que c'est gratuit, nous nous gavons, même si nous n'avons pas faim. Parce que c'est gratuit, nous collectionnons stylos d'hôtel, brochures, échantillons parce qu'ils ne coûtent rien et non parce que nous en avons besoin.

Les soldes

Mot puissant et magique ! Eh oui, combien d'entre nous achètent un deuxième de ces gadgets que nous possédons déjà et dont nous n'avons aucune utilité, seulement parce qu'il est moins cher ?

La société ne nous offre qu'un réconfort de qualité inférieure

> *« La civilisation est une multiplication*
> *illimitée de nécessités inutiles. »*
>
> Mark TWAIN

La vie moderne nous plonge dans un effroyable mélange de désirs, de contre-désirs et d'anti-contre-désirs. La société s'organise pour assujettir nos désirs et nos besoins, pour faire en sorte que nous nous dépouillions de tout vrai désir qui puisse nous épanouir. Les médias nous manipulent, disant que nos besoins peuvent être comblés par certains vêtements, certains aliments exotiques, certaines boissons, coiffures ou bijoux excentriques, des trophées, des accessoires pour animaux familiers, des machines à faire du sport chez soi, des bulles de bain, des magazines, des services financiers, des vitamines industrielles…

Oui, nous avons besoin de tout cela parce que nous sommes des êtres compliqués avec des besoins compliqués. Mais cela ne signifie pas que nous devons gaspiller notre temps et notre énergie comme nous l'avons fait jusqu'alors. Tous ces biens de consommation ne nous apportent qu'un réconfort de qualité inférieure. Ce dont nous avons besoin, ce sont de vraies valeurs, des valeurs qui, elles, n'ont pas de prix : l'amour, l'amitié, la beauté… Nous savons tout cela, direz-vous, mais pourtant les possessions matérielles exercent bel et bien sur la plupart d'entre nous une attraction hypnotique. Serions-nous plus riches si nous possédions en double ce que nous avons déjà ?

N'ACHETEZ QU'APRÈS MÛRE RÉFLEXION

Résistez aux tentations

> « Se damner pour posséder fait partie de notre moi limité. »
> Tagore

Vous devez apprendre à vivre avec les tentations. Constituez-vous votre propre panoplie de raisons pour ne pas rechuter. Vous gagnerez ainsi en estime personnelle, en respect de la part des autres. De plus, la satisfaction obtenue de vivre sans rien en excès sera votre arme la plus redoutable pour ne pas rechuter.

Les trente jours d'attente pour éviter les achats « coup de cœur »

De quoi avons-nous besoin ? Nous sommes entraînés dans un tel engrenage, une telle production à outrance que nous ne savons même plus ce dont nous avons besoin !

Pour éviter les achats impulsifs, les « coups de cœur », voici un « truc » : la liste des trente jours. Faites la liste de ce que vous désirez et attendez trente jours. Au bout de ce laps de temps, vous ne vous souviendrez probablement plus pourquoi vous en aviez tant envie alors. Vous aurez trouvé entre-temps quelque chose d'autre vous faisant envie. Demandez-vous alors pourquoi vous aviez noté toutes ces envies d'achats. Était-ce un moyen pour vous de vous soulager de l'anxiété ? De compenser le stress ?

Ayez le courage de retourner les choses au magasin

« L'essence de la civilisation consiste
non pas en la multiplication des besoins
mais dans une renonciation délibérée et volontaire. »
Gandhi

Gardez reçus et emballages. Certains magasins acceptent de reprendre la marchandise ou de l'échanger sur présentation du ticket de caisse. Dites-vous que les vendeurs auxquels vous avez tant de scrupules à retourner ces achats ne perdent pas d'argent personnellement parce que vous vous faites rembourser un achat que vous regrettez.

Faites sentir aux autres qu'on peut être heureux sans posséder

Chaque jour, nous recevons la consigne
d'être efficaces, réalistes, compétitifs.
Cette course aveugle, éperdue nous mène à l'abîme. Il vaut
mieux préférer la lucidité de l'utopie qui nous fait choisir une
étoile lointaine, sans doute inaccessible
mais vers laquelle on se dirige
et qui guide nos choix quotidiens. »
Théodore Monod

Soyez heureux vous-même avec très peu et faites-le sentir. Vous n'avez pas besoin de le clamer fort, mais de donner l'exemple. C'est cela que vous pouvez offrir, pas des tasses ébréchées ou cette machine à raclette que vous ne pouvez plus voir dans votre placard. Plutôt que de donner de l'argent à une personne, montrez-lui comment se tirer d'affaire par ses propres forces et apprenez-lui à découvrir sa richesse, comment trouver confiance en elle, comment avoir foi en sa propre force et plus de courage devant la vie ; essayez de lui faire réaliser qui elle est, quels sont ses dons et sa propre valeur. Faites-lui découvrir les outils pour être elle-même ; des outils qu'elle possède déjà !

Vivre avec peu : un mode de vie esthétique et merveilleux

> *« La beauté repose sur les nécessités…*
> *qui sont le résultat d'une économie parfaite.*
> *L'alvéole d'une abeille est construite*
> *sous l'angle qui lui donne le plus*
> *de résistance avec le moins de cire possible.*
> *L'os ou la quille de l'oiseau*
> *lui donne la force la plus altière avec le moins de poids possible.*
> *Il n'y a pas une seule particule à sauvegarder*
> *dans les structures naturelles…*
> *Un homme peut construire une simple chaumière*
> *avec autant de symétrie, de façon*
> *à rendre les palais les plus raffinés*
> *bon marché et vulgaires. Utilisez la géométrie*
> *au lieu de la dépense,*
> *puisez de l'eau dans un ruisseau, utilisez le soleil*
> *et la lune comme les plus beaux ornements*
> *de décoration de votre demeure.*
> *C'est encore cela le dominion légitime de la beauté. »*
> Ralph Waldo EMERSON

Apprendre à vivre avec peu et dans l'esthétique est aussi important que de mettre le surplus à la poubelle.

Autrefois, vivre de peu était une vertu. Le jour de Noël, la table était plus richement servie que d'ordinaire, les autres jours, une assiettée suffisait et on quittait la table le ventre pas complètement rempli, avec la satisfaction de se dire que c'était bon pour la santé et l'énergie. Ne faire chauffer que la quantité d'eau nécessaire à remplir la théière, se contenter d'une minuscule lentille de dentifrice sur sa brosse, utiliser le dos de ses reçus de caisse comme pense-bêtes… pratiquer la frugalité dans le domaine du matériel pour avoir mieux accès, dans d'autres, aux richesses de la vie est avant tout une question de concentration ; c'est ne jamais agir sans réfléchir.

Pratiquez la véritable économie

> *« Je fais toujours l'inventaire de ma garde-robe*
> *pour voir ce que je peux donner.*
> *Je me sens toujours coupable si je n'utilise pas ce que je possède,*
> *que ce soit des livres, des vêtements, des chaussures…*
> *[…] Parce que je ne donne pas de dîners*
> *à la maison, préférant inviter*
> *une seule personne à la fois, je me sers rarement*
> *de ma table à manger.*
> *Je n'utilise pas de four à micro-ondes. »*
> Toinette LIPPE, *Nothing Left Over*

Captez la dimension réelle de la vie en termes d'utilité et d'impeccabilité plutôt qu'en termes d'accomplissements et de possessions. Si nous changions nos habitudes de consommation, les entreprises auraient à changer leur méthode de production et de vente. Ne dépensez de l'argent que pour des services rendus par des employés correctement rémunérés et bien traités. Mangez dans de petits restaurants tenus par leur propriétaire. Il y a mille et une façons de consommer moins et mieux !

Il n'y a pas encore si longtemps, nos sociétés vivaient frugalement. On reconnaissait la vertu à ce qui était fait de façon économique, fabriqué avec ce que l'on avait sous la main, à ce qui excluait le gâchis.

Il faudra tôt ou tard revenir à ce genre de vertu. Nous devrons revivre comme nos grands-parents le faisaient, en réutilisant les choses plutôt qu'en les jetant pour en acheter de nouvelles, en sauvegardant et en réparant, en partageant avec ses voisins, en échangeant les choses dont on a plus besoin ou les services, en ne gardant qu'une quantité modeste d'objets sous la main. Une autre des vertus prisées de nos grands-parents était la compétence et l'ingéniosité, le don d'apprendre comment les choses fonctionnent, comment les utiliser efficacement, comment les réparer ou comment imaginer des solutions si elles se cassaient. Maintenant nous utilisons des appareils que nous ne savons même pas réparer ou même faire parfaitement fonctionner. Pour vivre confortablement avec peu d'argent, il faut donc savoir réparer, recycler, inventer...

Refrénez vos désirs

« Vouloir ce qui suffit, c'est avoir ce que l'on veut. »
Sénèque

Ranger ses rares articles nécessaires dans des boîtes ou des placards, garder son endroit rangé et net, voilà la façon la plus adéquate pour vivre.

Nous pourrions vivre à nouveau dans un tel état d'esprit : se contenter de ce que l'on a, avoir peu de désirs.

Préparez votre mort à tout instant

On s'achemine vers la mort à chaque instant. Mais il y a ceux qui vivent à chaque instant et ceux qui meurent à chaque instant. Ceux qui s'acharnent à acquérir les avantages matériels sont en train de mourir, ce sont les avantages matériels qui vivent à leur place. Il en est de même avec ceux qui sont prisonniers de leur connaissance, esclaves des règles imposées, ou ceux qui, trop soucieux d'éloges ou de critiques, s'inquiètent du regard des autres. Pensez donc à votre mort à tout instant, c'est la meilleure manière de profiter de votre vie.

Ne laissez rien derrière vous, si ce n'est des biens (maison, argent, un ou deux bijoux, peut-être), mais surtout de la lumière !

Lorsque vous avancerez en âge et que vous serez peut-être bientôt incapable de gérer vos propres biens, agissez. Ne fuyez pas devant les décisions à prendre quant à ce que vous possédez et ne vous déchargez pas de cette corvée et de cette responsabilité sur les autres. Ce serait là de l'égoïsme. Il est si douloureux pour des enfants d'avoir à régler les problèmes de succession que leurs parents défunts laissent derrière eux ! Trop de personnes, avant de « partir », se disent que les autres se débrouilleront bien « après ». Elles laissent alors prendre aux autres des décisions qu'elles n'ont pas voulu (parfois pu, en cas d'accident soudain) prendre elles-mêmes. Des décisions pénibles, douloureuses. Rompre avec le passé, les souvenirs, fait si peur... Si vous avez encore de l'énergie pour décider de ce que vous voulez que vos biens deviennent après votre mort, faites-le maintenant : donnez ce que vous voulez à qui vous voulez maintenant ; laissez aussi aux autres le choix de refuser ou de disposer de ces biens sans se sentir coupables ou infidèles.

Si vous n'avez plus la force de prendre des décisions, alors déléguez le pouvoir à d'autres de disposer de toutes vos possessions. Régler absolument tout à l'avance, ne pas exercer une sorte de chantage affectif en demandant que l'on devienne le gardien de vos choses, voilà l'acte de générosité et d'amour le plus grand que vous puissiez faire pour eux.

Tant d'héritiers se sont sentis obligés, par respect ou amour pour leurs parents, de devenir les gardiens de leurs choses… et ont été comme attachés à un boulet, à une loge de concierge dont le propriétaire était absent, une bonne partie de leur vie, si ce n'est… toute leur vie adulte ! Ce n'est pas parce que vous ne voulez pas partir, vous, que vous devez attacher les autres à vos biens. Un beau jour, tout partira chez un brocanteur, dans un musée, ou en poussière. Votre cadeau d'adieu devrait être la liberté.

Imaginez que vous êtes en voyage et vivez de la même façon

La vie est un voyage… Imaginez que vous partez pour un très long voyage de plusieurs années autour du monde en n'emportant que vos vêtements préférés, vos papiers importants et quelques bons bouquins (que vous donnerez après les avoir lus, comme tout voyageur averti). Nous recherchons souvent du changement dans nos vies, mais là où nous en recherchons de toute évidence est lorsque nous voyageons. C'est avec ce peu qui nous ressemble que nous nous sentons le plus à l'aise.

Moins consommer : un acte politique

> *« Plus les gens fabriquent de choses,*
> *plus d'emballages ils ont à jeter,*
> *et plus d'ordures doivent être transportées.*
> *Si les services sanitaires appropriés*
> *ne sont plus à disposition, la contrepartie de cette opulence*
> *croissante sera une saleté encore plus profonde. Plus grande est*
> *la richesse, plus importante est la saleté. »*
>
> John Kenneth GALBRAITH

Si les riches peuvent se payer d'onéreuses installations pour récupérer l'énergie solaire, ils font certes quelque chose de bien. Mais apprendre à vivre avec moins de biens et de revenus dépasse de loin toutes les bonnes actions dictées par les « pros » de l'écologie. Si simpliste que cela paraisse, l'acte de consommer moins est probablement l'engagement le plus radical qu'une personne puisse prendre à un niveau individuel pour sauver la Terre.

Il n'y a pas de coupure entre la vie de l'esprit et celle du corps, entre théorie et pratique. Tout est question d'éthique personnelle. À problème de masse, remède de masse, bien loin du pouvoir individuel : dans une grande ville, l'amélioration apportée par les individus non affectés par l'avidité, le désir d'acquérir, l'extravagance, l'envie, les procédés malhonnêtes est tout à fait négligeable. En gagnant de l'argent et en le dépensant, nous diminuons non seulement nos forces personnelles, mais nous endommageons l'environnement et cela résulte de tout ce que nous achetons. Quand nous achetons, cela signifie que nous utilisons les ressources de la planète. Pour faire un hamburger, il faut des grains de blé, de l'eau, des fertilisants, des pesticides, de la terre, de l'huile, du bœuf, des arbres, du plastique, du gaz, de l'électricité, des usines d'emballage… nous desséchons les réserves de la planète en eau. Moins d'automobiles, moins de détritus, plus de santé, moins de plats prêts cuisinés, ni séchoirs à linge électriques, ni lave-vaisselle, moins d'ustensiles électriques… faites le plus de choses par vous-même. Tant de personnes ne savent même plus qui elles sont ! Enrichissez votre propre personne. Un nouveau pull chaque hiver suffit !

CONCLUSION

*« Je pense encore et encore
à toutes mes petites aventures, à mes peurs,
toutes ces petites peurs qui me semblaient si grandes.
Car j'avais des choses vitales à obtenir et atteindre.
Et pourtant il n'y a qu'une seule chose importante, la seule :
vivre pour voir le jour magnifique qui se lève
et la lumière qui emplit le monde. »*

Philip HARNDEN,
Journeys of Simplicity : Traveling Light

Philip Harnden, dans son ouvrage *Journeys of Simplicity : Traveling Light* – regroupant une collection des listes que des personnages, fictifs ou réels, mais tous spirituels avaient faites des menus effets qu'ils emportaient en voyage raconte, au début de son ouvrage, l'histoire d'un vieux sage chinois prénommé P'ang Yün. Celui-ci aurait, il y a deux mille ans, embarqué, dès l'aube, tout ce qu'il possédait sur une barque pour le faire couler dans le lac Tung-t'ing. Puis il aurait regardé les dernières bulles remontant des profondeurs jusqu'à ce que le lac brumeux redevienne parfaitement calme, avant de revenir vers le rivage. On l'avait alors surnommé « la feuille d'arbre ». Parce que, dès lors, il voyageait léger, sans encombre, avec la gracilité d'une feuille dans le vent.

Ne consommons pas plus que ce qui nous est nécessaire, ne jetons pas pour le plaisir de jeter, mais pour mieux vivre avec moins de stress, plus de légèreté, et en harmonie parfaite avec nous-mêmes. Nous avons la chance de vivre à une époque qui offre cette liberté. Profitons-en.

Bien sûr, chacun a besoin d'un parapluie pour la pluie, d'un feu de bois pour l'hiver, d'une tasse de café préparée par l'être cher. S'alléger est une chose. Se débarrasser de tout juste au nom de la simplicité en est une autre. Le problème n'est pas ce que nous possédons, mais comment et pourquoi nous le possédons. Certains de nos désirs sont nécessaires à notre bonheur. D'autres, souvent et malheureusement, ne sont manufacturés et créés que par la société de consommation, et nous empêchent, en fait, d'être heureux !

La simplicité, ce n'est pas éliminer tous les désirs, c'est apprendre à ne pas se laisser contrôler par eux. C'est s'abstenir de les multiplier.

Désormais, demandez-vous régulièrement de quoi vous avez réellement besoin, vivez avec passion chacune de vos journées, ayez un but pour vos lendemains.

Plaisir de la connaissance, plaisir de prendre conscience de ce qu'il y a de merveilleux dans l'existence, plaisir de savoir maîtriser sa pensée pour se représenter les choses agréables, pour faire ressusciter les plaisirs du passé, pour jouir du moment présent, pour utiliser intelligemment les ressources naturelles, ses sens, son intelligence, la force naturelle dont nous sommes dotés… le plaisir du désencombrement doit rester un mode de vie, un savoir.

Puissance et connaissance sont en chacun de nous. Réveiller son âme, affiner sa conscience… de quoi a-t-on besoin si ce n'est la légèreté, la possession de soi et la capacité de profiter de la beauté et de la diversité du monde ? Un thé parfumé m'attend ; la lune embrumée est splendide ; un bâtonnet d'encens brûle à mes côtés ; il pleut. Vivre dans le monde du très peu, dans un lieu de paix avec, devant soi, l'indispensable et rien de plus, voilà ce que j'aimerais vous inviter à partager tout en méditant ensemble sur cette parole de Tchouang-tseu :

« Avec trop on se perd, avec moins on se trouve. »

BIBLIOGRAPHIE

Shundô Aoyama, *Zen, graine de sagesse*, traduit de l'anglais par Martine Senrin Haegel-Huck, Sully, 2000.

Haiku, anthologie du poème court japonais, présentation, choix et traduction de Corinne Atlan et Zéno Bianu, Gallimard, 2002.

Ivresse de brumes, griserie de nuages, poésie bouddhique coréenne, traduit, présenté et annoté par Ok-Sung An-Baron et Jean-François Baron, Gallimard, 2006.

William Barrett, *Irrational Man, A Study in Existential Philosophy*, Anchor Books, 1962.

Bashô, *L'Étroit Chemin du fond*, William Blake, 2008.

John Blofeld, *Le Taoïsme vivant*, Albin Michel, 1994.

John Blofeld, *Yogas, porte de la sagesse*, Dervy, 1986.

Yves Bonnefoy et Roger Munier, *Haïku…*, Fayard, 1978.

Nicolas Bouvier, *Chronique japonaise*, Payot, 2006.

Linda Breen Pierce, *Simplicity Lessons*, Gallagher Press, 2003.

François Brunet, *L'Œuvre en prose de Ralph Waldo Emerson*, Armand Colin, 2002.

François Cheng, *Vide et plein : le langage picturel chinois*, Points-Seuil, 1991.

Chen Chi-Ohuang, *Sixty Songs of Milarepa*.

Isabel Colegate, *Hermits, Solitaries and Recluses*, Courtepoint Washington, 2002.

Mihaly Csikszentmihaly, *Vivre*, Robert Laffont, 2005.

Yang Dan, *Sages écrits de jadis*, Cerf, 2006.

Maître Dôgen, *Le Trésor du zen*, Albin Michel, 2003.

Maître Dôgen, *Polir la lune et labourer les nuages*, Albin Michel, 1998.

Joe Dominguez et Vicki Robin, *Votre vie ou votre argent ?*, Logiques, 2005.

Karlfried Graf Dürckheim, *Pratique de la voie intérieure*, Courrier du livre, 1994.

Patrick Fermor, *A Time to Keep Silence*, John Murray Pub., 1989.

Lydia Flem, *Comment j'ai vidé la maison de mes parents*, Seuil, 2004.

Michel Foucault, *Le Gouvernement de soi et des autres*, Gallimard Seuil, 2008.

Michel Foucault, *L'Herméneutique du sujet*, Gallimard Seuil, 2001.

Georges Ivanovitch Gurdjieff, *Rencontre avec des hommes remarquables*, Rocher, 2004.

David A. S. Hapiro et Richard J. Leider, *Refaites votre bagage*.

Philip Harnden, *Journeys Of Simplicity : Traveling Light*, Skylight Path Publishing, 2003.

Hermann Hesse, *Siddhartha*, Le Livre de Poche, 1978.

Eugen Herrigel, *La Voie du zen*, Maisonneuve et Larose, 1995.

Natsuki Ikezawa, *Des os de corail, des yeux de perle*, Picquier Poche, 2004.

Natsuki Ikezawa, *La Vie immobile*, Picquier Poche, 2001.

Jack Kerouac, *Les Clochards célestes*, Gallimard, 1974.

Hazrat Inayat Khan, *The Wisdom of Sufism, Sacred Readings from the Gathas*, Houghton Mifflin, 2000.

Issa Kobayashi, *Haïku*, Verdier, 1994.

Werner Lambersy, *Maîtres et maisons de thé*, Hors Commerce, 2004.

John Lane, *Les Pouvoirs du silence*, Belfond, 2008.

Toinette Lippe, *Nothing Left Over*, Reprint, 2004.

Tu Long, *Propos détachés du Pavillon du Sal*, Séquences, 2001.

Maître Eckhart, *Conseils spirituels*, Rivages, 2003.

Marc-Aurèle, *Pensées pour moi-même*, Flammarion, 2004.

Thomas Merton, *The Silent Life*, Farrar, Straus and Giraix, 1999.

Thomas Merton, *Mystique et zen*, Albin Michel, 1995.

Dan Millman, *Les Lois de l'esprit*, Roseau, 2006.

Théodore Monod, *Déserts*, Bower, 2007.

Boris Mouravieff, *Gurdjieff, Ouspensky et les enseignements d'un fragment inconnu*, Dervy, 2008.

Nietzsche, *Le Voyageur et son ombre, œuvres complètes*, Gallimard, 1970.

Okakura Okuzo, *Le Livre du thé*.

Parker J. Palmer et Catherine Whitemire, *Plain Living, A Quaker Path to Simplicity*, Sorin Books, 2001.

Georges Perec, *Les Choses*, Pocket, 2006.

Bill Porter, *La Route céleste, rencontre avec les ermites chinois d'aujourd'hui*, Librairie de Médicis, 1994.

Pierre Pradervand, *Vivre le temps autrement*, Jouvence, 2004.

Ryôkan, *Les 99 haiku de Ryôkan*, Verdier, 2000.

Erik Sablé, *Les Mécanismes du moi et le Silence intérieur*, Dervy, 2004.

Jerome Segal, *Graceful Simplicity*, University of California Press, 2003.

Sénèque, *De la vie heureuse et de la tranquillité de l'âme*, Sand, 1997.

Sénèque, *Lettres à Lucilius*, Flammarion, 1992.

Jean Shinoda Bolen, *Le Tao de la psychologie*, Mercure de France, 2001.

E. F. Shumacher et Goldian VandenBroeck, *Less is More : The Art of Voluntary Poverty*, Inner Traditions International, 1996.

Rabindranâth Tagore, *Sâdhâna*, Albin Michel, 1956.

Eckhart Tolle, *Le Pouvoir du moment présent*, Ariane, 2000.

Chögyam Trungpa, *Méditation dans l'action*, Dzambala, 1998.

Lao Tseu, *Tao-te-King*, Librio, 2005.

Fabienne Verdier, *Passagère du silence*, Le Livre de Poche, 2008.

Swami Vivekananda, *Le Karma yoga*.

Charles Wagner, *La Vie simple*, Colin, 1895.

Alan Watts, *Éloge de l'insécurité*, Payot, 2003.

Wayne W. Dyer, *Your Sacred Self*, HarperColins Publishers, 2001.

Stuart Wilde, *Weight Loss for the Mind*, Hay House, 1998.

Marguerite Yourcenar, *Alexis, Le Coup de grâce*, Pléiade, 1982.

Lin Yutang, *L'Importance de vivre*, Picquier Poche, 2007.